Bienvenue au Canada !

Husky de Sibérie en pleine forêt québécoise.

« Ô Canada ! » Derrière cet hymne qui symbolise l'unité d'une nation se cache un pays aux innombr........ facettes, étendu des cô........ à l'océan Atlan........ .... fois la .... il existe .... n autre .... et un .... neux .... vêtu .... devoile ses .... Les forêts sont ....ses et interminables, tantôt clairsemées. Les montagnes sont parfois escarpées et impressionnantes, parfois douces et arrondies. Les lacs peuvent être immenses, ou de taille humaine. Mais s'il y a une constance dans ce pays, c'est cette population consciente de vivre dans un environnement unique.

Une certaine humilité aussi, face à cet hiver rigoureux qui, partout présent, frappe aveuglément la plupart du territoire. Plus au nord, un territoire vierge vous attend, constitué de forêts de feuillus, de nombreuses rivières, et peuplé d'innombrables espèces. Québec, plus vieille ville d'Amérique du Nord avec ses fortifications et son château Frontenac, s'oppose avec force à Vancouver, métropole tirée vers le haut grâce à ses gratte-ciel.

La diversité du Canada en fait une destination pour qui recherche le calme, la nature et l'espace, mais aussi le dynamisme d'une nation jeune et ouverte sur le monde.

Vue aérienne du centre-ville de Toronto.

Sommaire

Découverte

Visite

© CAJ - ICONOTEC

La communauté asiatique est très importante à Toronto, où on trouve deux quartiers chinois.

La feuille d'érable, symbole du pays.

Pense futé

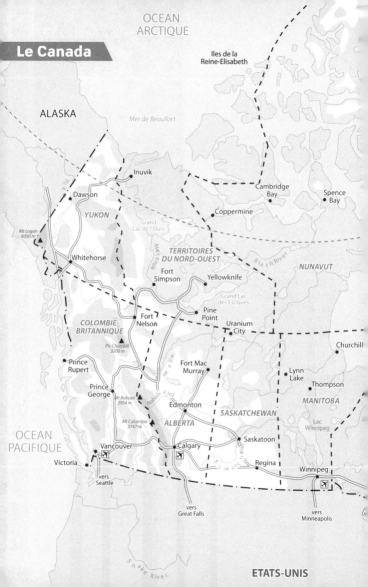

Le Canada

OCEAN ARCTIQUE

Iles de la Reine-Elisabeth

ALASKA

Mer de Beaufort

Inuvik

Dawson

YUKON

Mt Logan 6050 m

Whitehorse

Grand Lac de l'Ours

Coppermine

Cambridge Bay

Spence Bay

TERRITOIRES DU NORD-OUEST

NUNAVUT

Bl ch River

Mackenzie

Fort Simpson

Yellowknife

Grand Lac des Esclaves

Pine Point

COLOMBIE BRITANNIQUE

Fort Nelson

Uranium City

Churchill

Pic Churchill 3200 m

Fort Mac Murray

Lynn Lake

Thompson

Prince Rupert

e River

MANITOBA

Prince George

Mt Robson 3954 m

Edmonton

SASKATCHEWAN

Mt Columbia 3747 m

ALBERTA

Lac Winnipeg

OCEAN PACIFIQUE

Vancouver

Calgary

Saskatoon

Victoria

vers Seattle

S ska at

Regina

Winnipeg

vers Great Falls

vers Minneapolis

ake River

ETATS-UNIS

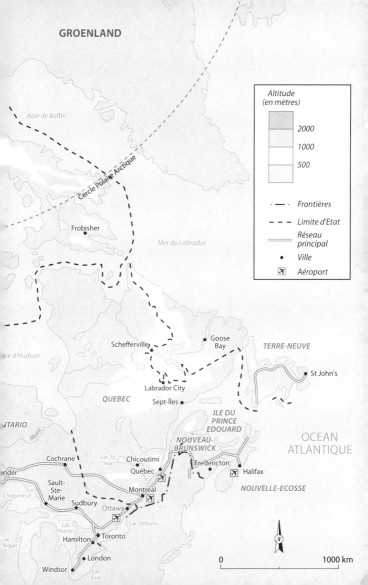

GROENLAND

Baie de Baffin

Cercle Polaire Arctique

Frobisher

Mer du Labrador

Baie d'Hudson

Altitude
(en mètres)

2000

1000

500

— · — Frontières
- - - Limite d'Etat
═══ Réseau
      principal
•   Ville
✈   Aéroport

Schefferville

Goose
Bay

TERRE-NEUVE

St John's

Labrador City

Sept-Îles

QUEBEC

ILE DU
PRINCE
EDOUARD

OCEAN
ATLANTIQUE

NTARIO

Albany

Cochrane

Lac St.
Jean

Chicoutimi

NOUVEAU-
BRUNSWICK

Fredericton

Halifax

Sault-
Ste-
Marie

Lac Supérieur

Québec

Montréal

Sudbury

Ottawa

Lac
Huron

Hamilton

Toronto

Lac Ontario

NOUVELLE-ECOSSE

Lac
Michigan

London

Windsor

Lac
Erié

0   1000 km

N

Vue aérienne des Laurentides
© AUTHOR'S IMAGE

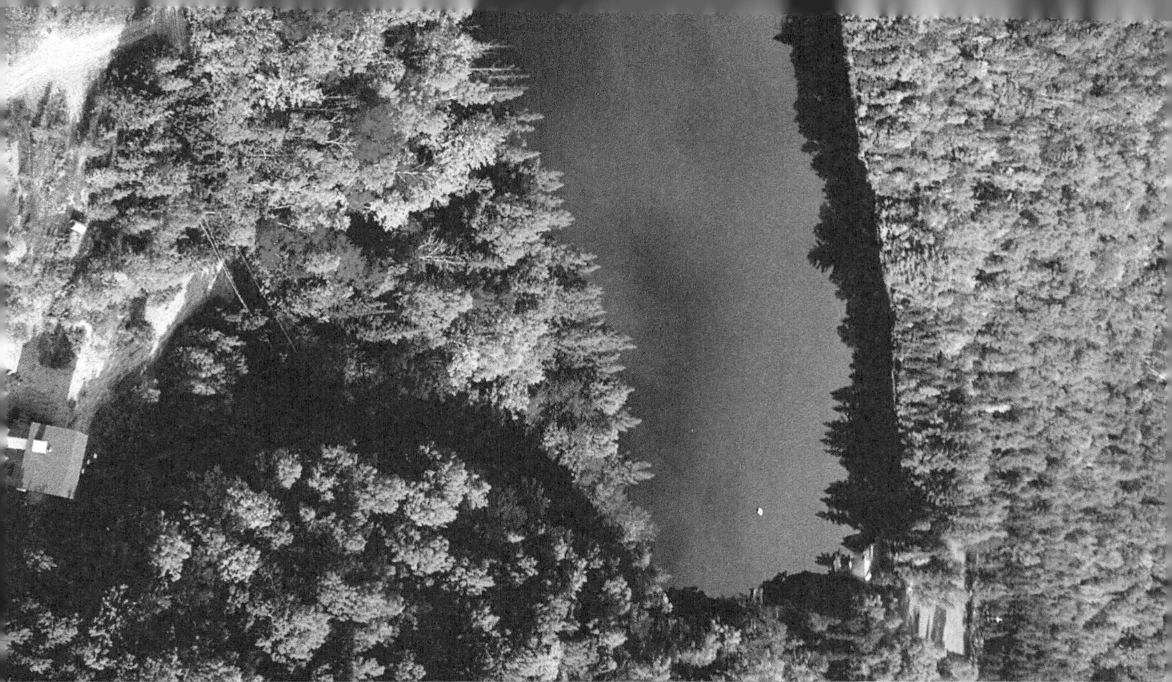

Les plus du Canada

Un peuple chaleureux

Que ce soit par la générosité et la politesse très anglo-saxonne des Albertains, par la fougue chaleureuse des Acadiens ou par la charité des Ontariens, chaque endroit au Canada réserve à sa façon, un accueil des plus cordiaux aux visiteurs.

Une destination cosmopolite

Il y a les Amérindiens, les Anglais et les Français, mais aussi les Ukrainiens, les Italiens, les Asiatiques et une multitude d'autres cultures qui façonnent le Canada moderne. Au Québec, c'est surtout l'amalgame du charme européen et de la culture américaine qui surprend le visiteur ; dans l'Ouest, la culture asiatique se fond de plus en plus dans le décor, donnant lieu dans l'ensemble du pays à un impressionnant melting-pot que vous rencontrerez souvent au cours de votre voyage.

Un patrimoine culturel riche

Au Québec, en hiver, le carnaval de Québec, la Fête des Neiges de Montréal et le Festival Montréal en Lumière attirent beaucoup de monde. En été, le Concours international de pyrotechnie, l'International des feux Loto-Québec, le Festival international de jazz de Montréal et le festival Juste pour Rire réunissent également des milliers de personnes. Les musées, les économusées (diffusion des métiers artisanaux), les théâtres, les galeries d'art, les centres d'interprétation en région ainsi que les espaces émergents à vocation artistique et musicale offrent une dimension culturelle évocatrice.

Le traditionnel bain de neige Saint-Hubert lors du carnaval de Québec.

Lac O'Hara au Yoho National Park.

et multicolore en automne est l'habitat d'une faune riche et diversifiée. L'ours noir, le grizzli et l'orignal, entre autres, sont aisément observables. Les côtes, les océans et le golf du Saint-Laurent sont l'habitat de plusieurs sortes de baleines.

Protection de l'environnement et propreté

Les politiques de protection de l'environnement mises sur pied par le Canada ont permis la sauvegarde de plusieurs espèces et de milieux menacés. Même si les efforts déployés en ce sens par le gouvernement paraissent futiles selon certains groupes de pressions, le Canada ne demeure pas moins un modèle sur le plan international. Ce souci de l'environnement se traduit aussi par la propreté des villes : Toronto, la capitale économique, en est un bel exemple.

De grands espaces propices aux activités de plein air

Dans les grands espaces, les parcs nationaux et les réserves fauniques, en traîneau à chien, en ski ou en canot, que vous soyez un aventurier téméraire ou un simple vacancier à la recherche du grand air, l'immensité et la beauté sauvage du territoire se dévoilent grâce à une multitude d'activités à la portée de tous.

Une faune et flore d'exception

Du nord au sud, d'est en ouest, où que vous soyez dans ce pays, la faune et la flore font partie du décor. La flore, verte en été, blanche en hiver

Patineurs devant l'hôtel de ville de Toronto.

Fiche technique

Argent

▶ **Monnaie :** la monnaie s'exprime en dollars canadiens (CAD, $ CA, CAN $).

Le Canada en bref

Le pays

▶ **Pays :** Canada.

▶ **Capitale :** Ottawa.

▶ **Superficie :** 9 976 139 km².

▶ **Langues officielles :** l'anglais et le français.

▶ **Religion :** 45 % de catholiques, 29 % de protestants et 16 % sans religion.

Population

▶ **Population :** 31 612 897 hab.

▶ **Densité :** 3,5 hab au km².

▶ **Composition (pays d'origine) :** des îles britanniques (28 %), de la France (23 %), mais aussi d'Asie, d'Afrique, du Moyen-Orient, des Caraïbes (6 %), et divers métis (26 %).

Économie

▶ **PIB :** 1 088 milliards $.

▶ **PIB par habitant :** 35 600 $.

Saisonnalité

▶ **Haute saison touristique :** de mi-mai à octobre et mi-décembre à janvier, et février.

▶ **Basse saison touristique :** de mi-octobre à mi-décembre et janvier, mars et avril.

Le drapeau canadien

En 1925, un comité nommé par le Conseil privé canadien est chargé de trouver un drapeau pour sceller l'unité de la nation. Après 2 600 propositions et 40 années plus tard, sur la colline d'Ottawa, le drapeau à la célèbre feuille d'érable est inauguré par le gouvernement canadien et la Reine Elisabeth II. Cette quête laborieuse s'est soldée par l'abandon du Red Ensign portant l'Union Jack, au profit de l'unifolié qui figure une feuille d'érable – emblème du peuple depuis le XIXᵉ siècle – stylisée à onze points en son centre. Le rouge et le blanc, déclarés couleurs officielles en 1921 par le roi George V, symbolisent respectivement les grandes étendues enneigées dans le nord du pays et le sang versé par les Canadiens lors de la Première Guerre mondiale. Les deux bandes latérales qui encadrent la feuille d'érable renvoient à la position géographique du Canada, cerné de part et d'autre par l'océan Pacifique et l'océan Atlantique.

Les chutes du Niagara.

Paysage côtier de la région des Laurentides.

La ville de Québec sous la neige.

Le Canada
en 10 mots-clés

Accent

Votre accent français paraîtra charmant aux oreilles des Canadiens de l'Ouest, pointu et rigolo à celles des Québécois. Celui des Acadiens vous semblera déconcertant, mais vous apprendrez bien rapidement.

Aurore boréale

Les aurores polaires sont des phénomènes lumineux provoqués par le rejet de particules électriques solaires dans la haute atmosphère. Au contact de l'oxygène et de l'azote, ces particules se colorent et créent un effet visuel spectaculaire que l'on peut observer sous forme d'aurores boréales dans le Grand Nord ou d'aurores australes dans l'hémisphère Sud.

Castors

Symbole du Canada, le castor vit dans ses huttes, à proximité des cours d'eau. On le retrouve dans de nombreux parcs provinciaux en Ontario.

Culture amérindienne

Elle continue à vivre dans les noms de nombreux sites et parcs nationaux, noms poétiques qui traduisent en un mot une ambiance ou une situation géographique. Elle reste également présente grâce aux légendes que ses héritiers ont transmises aux nouvelles générations. Le sujet est parfois délicat : le gouvernement canadien est en constant dialogue pour améliorer le sort des réserves et l'harmonie avec les non-autochtones.

© AUTHOR'S IMAGE

Motoneiges dans la forêt du Mont-Tremblant.

Les hivers canadiens sont rigoureux.

Écologie

Très « in » les Canadiens ont l'âme écolo et il ne peut en être autrement avec toute cette nature ! De très gros efforts ont été entrepris pour la sauvegarde et l'assainissement des cours d'eau. À noter cependant que le Canada arrive au 3e rang des pollueurs climatiques, derrière les Australiens et les habitants du Luxembourg et surtout devant les États-Unis.

Forêts

Les nombreuses forêts présentes au Canada rythment la couleur du pays : blanc en hiver, vert au printemps et en été, et enfin multicolore quand arrive l'automne. L'Ontario en particulier donne un bon exemple de la diversité des arbres du pays. Le territoire est recouvert d'une forêt qui varie d'une région à l'autre.

Hiver

« Mon pays, ce n'est pas un pays, c'est l'hiver », chantait Gilles Vigneault. Présent 120 à 160 jours par an, l'hiver est rigoureux à l'est du pays. Six à huit tempêtes majeures jalonnent ces mois blancs qui accumulent au moins 3 m de neige.

Lacs

Que de plans d'eau ! L'Ontario compte 400 000 lacs et rivières et bénéficie de sa situation stratégique qui lui donne accès aux quatre grands lacs d'Amérique du Nord : les lacs Ontario, Érié, Huron, et Supérieur. Les Territoires du Nord-Ouest, le Manitoba et le Saskatchewan sont également recouverts de grandes étendues lacustres.

Souvenirs

Si vous n'avez pas pu vous procurer du sirop d'érable auprès d'un producteur, achetez-le en boîte ou en bouteille. Mais attention, prenez-le 100 % pur, qualité AA, pour ne pas vous retrouver avec du « sirop de poteau ». Autre souvenir : l'artisanat autochtone, très cher quand il est beau, notamment les sculptures inuits. Mieux vaut acheter dans les réserves car l'artisanat y est détaxé, donc moins cher.

Toundra

Elle se compose d'un tapis de lichens et de mousses, sans arbre ni arbuste et couvre 17 % du territoire, soit tout le nord du Québec à partir du 58e parallèle, jusqu'au sud de la baie de l'Ungava. On y trouve renard, lièvre arctique, caribou, bœuf musqué, sans oublier, en mer et le long des côtes, l'ours blanc et des mammifères marins comme le phoque et le morse.

Survol du Canada

Géographie

Une triple rangée de montagnes, formées il y a environ 70 millions d'années, se dresse à l'ouest du Canada. Cette cordillère canadienne sépare l'océan Pacifique et les vastes plaines de l'Alberta. En venant de l'est, on découvre, à l'approche de la frontière de la Colombie-Britannique, les majestueuses Rocheuses, qui plongent à l'ouest sur les plateaux du Thompson et sur la vallée de Fraser (Vancouver). Dans le Sud de la Colombie-Britannique, à Osoyoos, il faut noter la présence d'un désert qui naît plus au Sud, au Mexique, en passant par celui du Mojave, en Californie. La côte Ouest est, dans sa partie nord, très irrégulière, voire déchiquetée, et offre un spectacle de toute beauté dans le fameux Inside Passage. Les grandes plaines englobent les provinces de l'Alberta, de la Saskat-chewan, une partie du Manitoba et des Territoires du Nord-Ouest. Ces vastes plaines sédimentaires s'étirent du delta du Mackenzie au nord vers le sud jusqu'aux États-Unis. En Alberta, ce sont des grandes plaines céréalières, immenses réserves mondiales de grains, et des zones d'élevage intensif. À l'est, un socle de roches cristallines part de l'Arctique et forme un véritable bouclier (Bouclier canadien) qui s'arrête à l'océan Atlantique, longeant au passage les riches Basses-Terres et les Appalaches de la Côte Est. La fonte des glaces a transformé cette région en une des plus grandes réserves mondiales d'eau douce.

Climat

L'immensité du territoire canadien fait que la moyenne mensuelle de la température pour une province donnée ne peut être représentative de l'ensemble des villes de cette même province. L'hiver canadien est très froid et les chiffres peuvent parfois être trompeurs, simplement parce que le facteur éolien joue un rôle très important dans le rafraîchissement du climat. Par exemple, une température de - 20 °C à Montréal au mois de janvier peut facilement atteindre - 40 °C en considérant le vent. Il tombe environ une moyenne de 2,5 m de neige entre novembre et avril dans les villes situées au Sud du pays, où se concentre la majorité de la population. Quand il neige, la température est plus douce.

La saison estivale est courte, mais très chaude et humide. En octobre, après la première gelée, l'été indien (Indian Summer) offre parfois quelques jours de répit et de très beau temps (chaud). C'est la saison des couleurs. L'été indien, c'est un dernier clin d'œil du soleil, une ambassade de l'été venue pavoiser avant l'arrivée des grands froids. Dans un pays dominé par la forêt, pendant quelques jours d'octobre, le visiteur pourra jouir des magnifiques couleurs de l'automne sous une température exceptionnelle.

Retrouvez l'index général en fin de guide

Des premiers peuplements

Le peuplement du continent nord-américain s'est effectué, il y a plus de 12 000 ans, à la fin de la période glaciaire, par des peuplades de chasseurs venues de Sibérie. Par vagues successives, elles franchissent le détroit de Béring (séparant la Sibérie de l'Alaska), alors gelé, à la poursuite de gibier. Elles se dispersent ensuite sur l'ensemble des terres habitables du continent américain, développant des modes de vie spécifiques adaptés à leur milieu.

L'arrivée des Européens

Vers l'an mille, les Vikings visitent la Terre de Baffin et la côte du Labrador, pénètrent dans le détroit de Belle-Isle et s'installent sur la côte nord-ouest de Terre-Neuve. Ensuite, le continent américain retombe dans l'oubli. Il faudra attendre le XVe siècle et les progrès de la navigation pour que les grands navigateurs européens se lancent à la conquête des océans. Les pêcheurs de morue (Portugais, Français et Anglais) fréquentent déjà les eaux poissonneuses de Terre-Neuve et de la Nouvelle-Écosse, de même que les chasseurs de baleine (Basques). Ce sont les premiers à entrer en contact avec les indigènes. Puis, en 1534, le Malouin Jacques Cartier débarque à Gaspé, explore le golfe du Saint-Laurent, remonte le fleuve jusqu'à Hochelaga (Montréal) après s'être arrêté au village de Stadaconé (Québec), entre en contact avec les Iroquois et prend possession de tous

Sculpture historique à Montréal.

ces territoires au nom du roi de France, François Ier. Les Français entreprennent d'explorer le nouveau continent mais ils vont se heurter à la concurrence des Anglais établis plus au sud, le long de la côte atlantique. Bientôt, les deux communautés s'affrontent. En 1663, sur décision de Louis XIV, la Neuve-France, ou Nouvelle-France, devient province française rattachée au domaine royal : elle est administrée par un gouverneur, responsable des affaires militaires, un intendant, chargé de la justice et des finances, et des propriétaires terriens. Les paysans représentent alors 80 % de la population.

© CALI - ICONOTEC

Relève de la garde à Ottawa.

La conquête anglaise

Les conflits d'intérêts entre la France et l'Angleterre vont entraîner une succession de guerres et de traités. En 1713, le traité d'Utrecht cède Terre-Neuve à l'Angleterre ainsi que la baie d'Hudson et l'Acadie. En 1755, le colonel britannique Sir Charles Lawrence ordonne la déportation des Acadiens, implantés depuis 1604 autour de la baie de Fundy (Nouvelle-Écosse actuelle), agriculteurs venus du Poitou, de Touraine et du Berry, afin d'installer, à leur place, des fermiers anglais : le « Grand Dérangement », qui a lieu de 1755 à 1763, touchera plus de 10 000 Acadiens. Beaucoup d'entre eux s'enfuiront en Louisiane et se disperseront un peu partout. En 1763, le traité

de Paris cède la Nouvelle-France à l'Angleterre. La France a définitivement perdu ses possessions canadiennes.

La confédération canadienne

Durant le XIXe siècle, le Parti des Canadiens français, ou « parti canadien », dirigé par Louis-Joseph Papineau, est toujours confronté à l'autorité d'un gouverneur anglais et d'un Conseil législatif qui rejette, la plupart du temps, les lois présentées à la Chambre. La politique des Anglais, aggravée par la crise sociale et l'exaspération des Canadiens français nationalistes, aboutit, en 1837 1838, à la « Rébellion des Patriotes » de la région de Montréal : la Constitution de 1791 est alors suspendue. Pour tenter de rétablir la situation, le gouverneur général anglais Lord Durham propose l'union du Bas et du Haut-Canada, connue sous le nom d'Acte d'Union (1841), créant le Canada-Uni. C'est dans ce climat agité que naît l'idée d'une confédération : l'Acte de Constitution de 1867 établit la Confédération canadienne. Cette Constitution établit la séparation des pouvoirs entre le gouvernement fédéral et les provinces chargées notamment de l'instruction.

Le XXe siècle

Le pays à peine constitué, le gouvernement décide de participer à la Première Guerre mondiale du côté des Alliés. En participant à la Première Guerre mondiale jusqu'au bout, le Canada prend part au traité de Versailles et devient ainsi une puissance internationale reconnue. Par la suite, le pays va accueillir de nombreux immigrants attirés par un pays industriel en plein essor. Au sortir de la Seconde Guerre mondiale, le Canada va poursuivre ses efforts de coopération internationale dans les domaines économiques et militaires, tout en glissant vers une indépendance à l'égard des États-Unis, ainsi qu'une autonomie plus grande vis-à-vis de la Grande-Bretagne. C'est ainsi que le nouveau drapeau canadien est adopté par le Parlement en 1964 et proclamé par la reine en 1965.

Le problème récurrent de l'unité canadienne

En 1977, peu après une remontée du Parti Québécois, le Premier ministre Pierre Elliott Trudeau tente de mettre sur pied une commission chargée de faire le point sur l'unité canadienne et ses valeurs. La même année au Québec est adoptée la fameuse « loi 101 » : désormais, l'usage du français est réglementé dans la vie courante. C'est dans cet élan que Trudeau organise un référendum en mai 1980 pour décider de l'avenir du Québec : le peuple se prononce contre le projet de « souveraineté-association » de la province à 60 %. En 1992, un référendum fait avorter les accords de Charlottetown qui reconnaissaient le caractère distinct du Québec vis-à-vis de la Confédération. Il faut attendre 1995 pour que la question de la souveraineté refasse surface : lors de ce nouveau référendum organisé par le Bloc québécois (au pouvoir depuis 1994) dans la province, le « non » l'emporte à 50,5 % des voix.

La question amérindienne

À côté de la question linguistique, l'histoire du Canada est marquée par l'épineux problème de l'intégration des Amérindiens dans la société économique et sociale canadienne. Le début des années 1990 voit ainsi se ... 'op- per des conflits liés à l'exploit... ...es terres considérées comme an... ...es par les Amérindiens, comm... ...ti survenu en 1988 avec les ... Mohawks d'Akwesame (rése... s'étend sur le Québec, l'État de... York et l'Ontario) ou la crise d'O... 1990 à proximité de Montréal. A... exemple, un accord considéré com... « historique » signé en 2002 entre... gouvernement du Québec et le Gran... Conseil des Cris du Québec : la provin- ce s'engage ainsi à verser 3,5 milliards de dollars canadiens sur 50 ans pour compenser l'exploitation de barrages hydroélectriques à proximité de la Baie James. Le découpage provincial du pays doit ainsi correspondre aux positions géographiques des différentes communautés amérindiennes vivant au Canada.

© YUKIKO YAMAMOTO - ICONOTEC

Église à Montréal.

Population
et mode de vie

Démographie

Dans cet énorme territoire, la densité de la population est de 3,4 habitants au km². La grande majorité des villes ont été construites sur la rive nord de la frontière canado-américaine, 77 % de la population réside autour des grands centres urbains. La population canadienne constitue un véritable *melting-pot* dans la mesure où y cohabitent autochtones, colons venant des États-Unis, de Grande-Bretagne et de France, ainsi que Chinois et Européens issus d'une immigration plus récente.

Mode de vie

Le gouvernement canadien a redéfini la notion de famille pendant le dernier mandat du Premier ministre Jean Chrétien. En 2000, se fiant sur la charte des droits et des libertés canadiennes, le parlement étendait les obligations des couples et les avantages dont ils peuvent bénéficier à tous les couples, y compris ceux de même sexe. Cela s'est confirmé en juin 2003 lorsque le gouvernement fédéral a légiféré sur le mariage des couples de même sexe. À part chez les gays qui viennent même des États-Unis pour se marier, l'institution du mariage est en baisse.

Religion

Avant l'arrivée des premiers colons français au XVIe siècle, différentes communautés amérindiennes qui peuplaient déjà le territoire pratiquaient leur propre spiritualité. Puis, le catholicisme s'est installé pendant de longues années, comme le protestantisme avec l'immigration britannique vers la fin du XVIIIe siècle. À partir des années 1960, on parle d'ouverture et de pluralisme. La religion occupe une part importante dans la vie quotidienne des Canadiens. Ainsi, 77 % d'entre eux se déclarent chrétiens et environ 6 % pratiquent une autre religion. Le reste de la population s'identifie comme n'ayant pas de religion (athées, agnostiques…). Toutefois, la religion s'immisce moins dans la vie politique que chez son voisin frontalier, même si des sujets tels que l'avortement, l'union libre ou le mariage homosexuel restent hautement tabous dans certaines régions.

Basilique Notre-Dame à Montréal.

Centre-ville de Toronto.

Magasin de souvenirs indiens à Québec.

L'hiver venu, les Montréalais occupent la ville souterraine.

Arts et culture

Artisanat

Les diverses communautés autochtones se sont efforcées de mettre en valeur leur patrimoine culturel. Celui-ci est avant tout un patrimoine vivant détenu par les anciens, un héritage spirituel reposant sur le respect des coutumes ancestrales ainsi que des lieux sacrés ou profanes. Ces communautés ont créé des musées, des boutiques d'artisanat, des galeries d'art, des centres d'interprétation, des reconstitutions de villages traditionnels. Elles organisent aussi, en juillet et en août, une grande fête culturelle (ouverte au public) appelée Pow wow, consistant en mets traditionnels, folklore, chants au tambour, danses, musique, contes et légendes, rites et cérémonies, et diverses activités comme le montage d'une tente, l'allumage d'un feu, la préparation de la bannique, etc. Au Québec, c'est surtout

Sculpture sur neige lors du carnaval de Québec.

dans les domaines de la musique, du spectacle, du théâtre, de la sculpture et de la peinture que l'expression artistique des Amérindiens et des Inuits connaît une véritable explosion.

Cinéma

Denys Arcand est un des rares cinéastes québécois francophones à avoir « percé » sur le plan international. Son film *Le Déclin de l'empire américain* a été couvert de récompenses et a été l'un des plus gros succès de l'année 1986, notamment en France. Mais sa consécration au niveau international, a réellement eu lieu en 2003, avec la sortie du film *Les Invasions barbares* et son couronnement par trois césars. Xavier Dolan est le nouvel espoir du cinéma québécois.

David Cronenberg

La Mouche, *Crash*, *Videodrome*… Son univers, étrange et souvent inquiétant, semble obsédé par les rapports qu'entretient le corps humain avec la machine et la technologie. Souvent maltraité par la critique, il demeure un des cinéastes les plus influents de sa génération.

François Girard

Trente-deux Films brefs sur Glenn Gould (1993) et *Le Violon rouge* (1998). Cinéma d'auteur. Reconnaissance internationale pour ces deux films.

Norman Jewison

Né à Toronto en 1926, est un des pionniers du cinéma canadien anglais. Il a, entre autres, réalisé *Jesus Christ Superstar* (1973) et *Moonstruck* (1987). Il a gagné 9 oscars.

Zacharias Kunuk

Atanarjuat, la légende de l'homme rapide (2001) : une histoire typiquement inuk, racontée et interprétée par les Inuits (vie traditionnelle d'autrefois dans le Grand Nord). Caméra d'or au Festival de Cannes.

Littérature

Aux XVIe et XVIIe siècles, les principales inspirations des rares écrivains viennent de leurs expériences en tant que colons et voyageurs. Le XVIIIe siècle est marqué par les premiers écrits véritablement québécois, dont les inspirations sont principalement patriotiques. Enfin, au XXe siècle, de nombreux thèmes viennent ponctuer l'imaginaire des écrivains, laissant place à une succession de courants littéraires.

Musique

Le Canada anglais a produit un nombre considérable d'artistes qui ont connu une carrière fulgurante à l'international. Le Montréalais Leonard Cohen et Neil Young connaissent de brillantes carrières dans la musique folk. La chanteuse country Shania Twain est originaire de l'Ontario tandis que Bryan Adams vient de Vancouver. L'Ontarienne Alanis Morissette s'est imposée sur le plan international avec une originalité et un son bien distinctifs. Parmi les plus populaires, on retient : Amanda Marshall, Tom Cochrane, Matthew Good Band, Nelly Furtado, The Tragically Hip, Our Lady Peace, Ashley McIsaac, Sam Roberts, Rufus Wainwright, Arcade Fire…

Peinture et sculpture

Aux XVIIe et XVIIIe siècles, la religion étant le fondement de la société québécoise, l'art est essentiellement religieux. Les artistes, pour la plupart formés en Europe, exécutent des portraits et des paysages que leur commande la nouvelle bourgeoisie canadienne française. Le plus connu est sans conteste Antoine Plamondon (1804-1895), suivi de Théophile Hamel (1817-1870) et de Joseph Légaré (1795-1855). Durant tout le XIXe siècle, l'influence européenne reste dominante du fait de l'arrivée au Québec d'artistes d'outre-Atlantique comme l'Irlandais Paul Kane (1810-1871), célèbre pour l'intérêt ethnologique de ses tableaux d'Amérindiens, ou Cornélius Krieghoff (1815-1872), d'origine hollandaise, peintre de la vie quotidienne montréalaise. Au XXe siècle, l'influence de l'école de Paris continue de se faire sentir chez les peintres québécois d'inspiration impressionniste comme Suzor-Côté (1869-1937), auteur de belles natures mortes, chez le fauve James Wilson Morrice (1865-1924) et le pointilliste Ozias Leduc (1864-1955), originaire de Mont-Saint-Hilaire. À la même époque, la sculpture perd son caractère exclusivement religieux. Louis-Philippe Hébert (1850-1917) a exécuté, à Montréal, maintes statues historiques de caractère commémoratif : Maisonneuve, Jeanne Mance, Mgr Ignace Bourget. Autre sculpteur célèbre, Alfred Laliberté (1878-1953), qui sera inspiré par l'Art nouveau. Après la Seconde Guerre mondiale, la peinture est dominée par le groupe des automatistes (Riopelle) puis des plasticiens.

La cuisine canadienne

Plats et produits typiques

La poutine : frites garnies de fromage en grains, le tout nappé d'une sauce « gravy » (poutine régulière) ou de sauce tomate accompagnée de viande (poutine italienne).

Le pâté chinois est constitué de bœuf haché cuit à la poêle, sur lequel on étend une couche de maïs en grains ou en crème couronnée, à son tour, d'une couche de pommes de terre écrasées. On met ensuite la préparation au four jusqu'à l'obtention d'une croûte dorée : c'est le plat énergétique par excellence, celui que l'on donnait aux ouvriers asiatiques lors de la construction de la célèbre ligne de chemin de fer Transcanadienne.

La « tire sur la neige », une spécialité à base d'érable.

Spécialités à base d'érable

À goûter absolument. Ce sont tous les produits dérivés de l'érable sucrier, une des très nombreuses variétés d'érable : sirop, sucre, tire, tarte au sucre. C'est au printemps, le Temps des sucres, que les érables sucriers sortent de la torpeur de l'hiver pour sécréter une sève abondante, à haute teneur en sucre comestible, que l'on recueille dans des seaux suspendus aux becs verseurs fichés dans les troncs. Pour fêter la récolte, ont lieu des « parties de sucres » qui rassemblent parents et amis. On déguste alors toutes sortes de mets cuits dans le sirop d'érable, on en arrose les crêpes et l'on verse du sirop très épaissi, encore bouillant, sur la neige, qui se transforme en une sorte de caramel que l'on enroule sur un bâtonnet : c'est la tire d'érable. On profite de l'occasion pour faire un repas de jambon, d'omelette, de fèves au lard (haricots cuits au four avec des lardons et de la mélasse) et d'oreilles de crisse (grillades de lard très salées), mets que l'on arrose généreusement de sirop d'érable. Ce que l'on appelle péjorativement « sirop de poteau » est un sirop d'érable de piètre qualité, quelquefois même un succédané aromatisé à l'érable.

© ISTOCKPHOTO/JLI-LEE

La poutine.

Le *smoked meat* est une viande fumée sur du pain de seigle (ou bien en sandwich), accompagnée de cornichons à l'aneth. Ne manquez pas de faire un arrêt chez Schwartz's à Montréal, LE spécialiste du smoked meat au Québec ! Les sous-marins sont des gros sandwichs bien garnis.

Boissons

Bières

La bière est la boisson par excellence qui accompagne tous les plats. Le Canada en est un gros producteur. En plus des grandes compagnies dominant le marché (Molson, Labatt, Carling, Sleeman), les microbrasseries et brasseries artisanales, surtout répandues au Québec, se multiplient, produisant de nombreuses et excellentes bières artisanales : McAuslan, La Barberie, Au Maître Brasseur, La Diable, Les Trois Mousquetaires, L'Alchimiste, Dieu du Ciel ! Brutopia, Pit Caribou… pour ne nommer que celles-ci.

Vins

Le Canada produit aussi du vin. La vallée de l'Okanagan en Colombie-Britannique et celle de Niagara en Ontario ont su développer un marché très florissant. Au Québec, la vigne n'occupe que 85 hectares (sur les 6 500 du Canada) mais elle a de l'avenir car les Québécois apprécient le vin.

© AUTHOR'S IMAGE

Repas typiquement canadien sur l'île d'Orléans.

Enfants du pays

Léonard Cohen

Tout d'abord rattaché à la scène « folk » engagée, aux côtés de Bob Dylan ou Joan Baez, il s'en est vite affranchi avec des disques sombres, très personnels, puis avec l'utilisation d'instruments modernes (des synthétiseurs) dans les années 1980 et 1990. Il s'est fait de plus en plus rare depuis une quinzaine d'années mais l'année 2008 marqua son grand retour sur scène avec une tournée mondiale.

Félix Leclerc (1914-1988)

Une icône au Québec, cet auteur-compositeur-interprète, chansonnier, poète, écrivain et acteur québécois est l'instigateur de la tradition des chansonniers québécois et une voix très puissante du nationalisme au Québec.

Shania Twain

Née à Windsor, en Ontario, cette chanteuse de country music a vu sa carrière exploser au niveau mondial : plus de 80 millions d'albums vendus au total. Son nouvel album n'était toujours pas paru en 2011.

Marie Laberge

Dramaturge, romancière, comédienne et metteur en scène québécoise. D'abord connue pour ses nombreuses pièces, elle s'est lancée dans le roman avec autant de succès et se distingue par sa remarquable qualité d'écriture. En 1995, elle a rédigé le préambule de la Déclaration d'Indépendance du Québec, et cela en collaboration avec d'autres personnalités de la région.

Michael Ondaatje

Romancier et poète canado-sri-lankais, il est surtout connu pour son livre *L'Homme Flambé* qui a inspiré le scénario du film *Le Patient Anglais*.

Michel Tremblay

Écrivain reconnu et apprécié de tous les Québécois, Michel Tremblay a mené la dramaturgie québécoise à son apogée. Depuis *Les Belles-Sœurs* (1968), il a en effet donné naissance à un théâtre totalement libre. Ses pièces de théâtre sont devenues de véritables classiques : *Demain matin Montréal m'attend*, *La Maison suspendue*, etc.

Wayne Gretzky

Probablement le plus grand joueur de hockey de l'histoire de la ligue nationale. Il détient la quasi-totalité des records de la ligue au niveau des buts, des passes décisives, des points, des tours de chapeau, sans compter les innombrables trophées amassés tout au long de sa carrière. Il a également représenté le Canada dans de nombreux championnats mondiaux.

Gilles et Jacques Villeneuve

Deux pilotes automobiles très connus ayant accédé à la Formule 1. Jacques a remporté le titre de champion du monde en 1997 avec l'écurie Williams-Renault. Son père, coureur pour Ferrari à la fin des années 1970 et début des années 1980, n'a jamais remporté de titres et est décédé lors des qualifications du Grand Prix de Belgique en 1982.

Bienvenue à Vancouver !
© VOLODYMYR KYRYLYUK - FOTOLIA

La Colombie britannique

L'île de Vancouver

L'île de Vancouver appartient à la chaîne des montagnes côtières ; ses sommets enneigés culminent à 2 200 m. Les touristes s'y pressent pour ses parcs naturels, ses sites historiques et son ouverture sur l'océan Pacifique, peuplé de baleines et d'orques.

Victoria

Élégante capitale, Victoria bénéficie d'un climat doux, d'une population chaleureuse et d'une atmosphère balnéaire inattendue. La ville la plus britannique de Canada raconte son histoire à travers ses bâtiments centenaires fort bien préservés.

■ MARITIME MUSEUM OF BRITISH COLUMBIA

Des maquettes, des uniformes, des documents racontent l'histoire de la Royal Navy.

■ PACIFIC UNDERSEA GARDENS

Situé dans le port, cet observatoire marin permet d'approcher la faune marine de la région (quelque 500 espèces, dont des saumons, des requins…).

■ PARLIAMENT BUILDING

On y entre comme dans un moulin, vous y apprendrez tout de l'histoire (courte) de la province lors des visites guidées gratuites.

■ ROYAL BRITISH COLUMBIA MUSEUM

Vous vous perdez un peu dans toutes ses galeries, mais quel plaisir de découvrir la culture autochtone et l'histoire de la province aussi élégamment et intelligemment présentées !

■ ROYAL LONDON WAX MUSEUM

Vaste galerie de portraits en cire avec autant des personnalités historiques que politiques. Vous pouvez y voir quelques Français disséminés dans la galerie de portraits : de Voltaire à Napoléon en passant par de Gaulle ou encore Jacques Cartier qui a vraiment une connexion forte avec le pays.

■ BEACON HILL PARK

C'est le plus grand parc de la ville (62 hectares). Le jeudi soir, vous pouvez assister aux cours de danses écossaises. Par temps clair, vous apercevez le mont Olympic aux États-Unis, de l'autre côté du détroit Juan de Fuca.

L'observation des baleines

Une population d'environ 300 baleines vit toute l'année dans les eaux de Colombie-Britannique et de l'État américain de Washington. La meilleure période pour les observer va de la mi-avril à la mi-octobre. De la terre, vous pouvez les apercevoir dans les détroits de Haro (à l'est de Victoria) et de Johnstone (au nord de l'île). De nombreux tours opérateurs proposent des circuits en mer pour les approcher.

La Colombie britannique

YUKON

Lac Tagish
Bennett
Lac Atlin
Nahanni National Park
Lac Trout

Glacier Bay National Park

Lac Teslin

Altitude (en mètres)
Glacier
3000
2000
1000

île Chichagof
île Admiralty

Telegraph Creek

37

Liard River

97

Fort Nelson

Archipel Alexandre

▲ Mt Ratz 3136 m

▲ 2787 m
Mount Edziza Prov. Park

Spatsizi Plateau Wilderness Park

Mt Churchill 3200 m ▲

Trutch

● Ville principale
○ Ville secondaire
Parc naturel
▲ Sommet

ALASKA (Etats-Unis)

île du Prince de Galles

Great Snow Mt. 2895 m ▲

97

Wonowon

Hyder ○ Stewart

Fort St. John

Masset

Prince Rupert

Kitwanga
Seven Sisters 2755 m ▲
Smithers

Lake Williston

Hudson's Hope

Dawson Creek

Naikoon Prov. Park
îles de la Reine Charlotte

Terrace

37

Lac Takla

Queen Charlotte

Kitimat

Lac Babine

Lac Stuart

Mc Leod Lake

Gwaii Hanas Nat. Park
île de la Princesse Royale

Lac Ootsa

Endako

16

Prince George ◻

ALBERTA

OCEAN PACIFIQUE

Bella Bella ○

Tweedsmuir Prov. Park

Hixon

Mc Bride ○
Bowron Lake Prov. Park

▲ Mt. Robson 3954 m

île Calvert

Bella Coola

Quesnel

Alexandria

Valemount ○
Jasper National Park

Lac Marguerite
Wells Gray Prov. Park

Mt Columbia 3747 m ▲

Port Hardy

▲ Mt Waddington 4016 m

Tatla Lake

Williams Lake

100 Mile House

Clearwater

Lac Kimbasket
Glacier Nat. Park

▲ 3289 m

Ts'il-os Prov. Park

Clinton

Barrière

Revelstoke

ÎLE DE VANCOUVER

Campbell River

Strathcona Prov. Park

Powell River

19

Lillooet

Pemberton

Whistler

Garibaldi Prov. Park

99

Kamloops

5

Lac Okanagan

Salmon Arm

Vernon

Nakusp

6

Lac Arrow

▲ 2827 m

Tofino

4

Nanaimo

VANCOUVER ◻

Mission

Lac Harrison
Spuzzum

Princeton

Kelowna

Castlegar

Lac Kootenay

Surrey

Pacific Rim National Park

Chilliwack

Penticton

Osoyoos

VICTORIA ◻

North Cascades National Park

Olympic National Park

ETATS-UNIS

0   180 km

◻ SEATTLE

■ ROSS BAY CEMETERY

Le cimetière historique de Victoria accueille les tombes de tous les grands personnages de la ville (dont Emily Carr). Il est situé au bord de la mer et sa vision offre un avant-goût du paradis.

■ CRAIGDARROCH CASTLE

Cette prestigieuse demeure a été construite à la fin du siècle dernier pour Robert Dunsmuir, l'homme le plus influent de l'île (qui mourut avant la fin des travaux). Le château a quatre étages et une quarantaine de chambres. La visite est passionnante. Ne pas manquer de gravir les 87 marches de la tour pour admirer un joli point de vue sur Victoria et sa région.

■ FORT RODD HILL & FISGARD LIGHTHOUSE

Une batterie d'artillerie du siècle dernier (1890) et un phare (1873) perché sur un rocher volcanique, classés sites historiques nationaux.

Les environs de Victoria

Sooke

Ville de 4 500 âmes qui vous accueillera très chaleureusement, avec ses galeries d'art, son musée et ses très bons restaurants. Évadez-vous ensuite dans le French Beach Provincial Park, idéal pour un pique-nique ou une simple balade loin de tout, avec les baleines grises pour compagnie, si vous avez de la chance.

Port Renfrew

À 104 km de Victoria, la Botanical Beach est un joyau naturel de la côte du détroit Juan de Fuca. Avant de vous y aventurer, promettez de ne rien toucher et de vous informer de l'environnement dans lequel vous allez pénétrer… Faites un dernier détour par le Red Creek Fir ; vous y trouverez les plus grands sapins Douglas du Canada.

Cowichan Bay

Village de pêcheurs par excellence, Cowichan Bay est aussi, en été, un lieu de compétition de danseurs traditionnels amérindiens, lorsque les autochtones organisent des pow wow ouverts au public.

Duncan

Au milieu de la ville, vous pourrez étudier plus de 80 totems. Le Quw'utsun' Cultural and Conference Centre permet de découvrir l'histoire et la culture du peuple cowichan des tribus salish.

Chemainus

Charmante ville touristique de 4 000 habitants, dont l'histoire et la culture sont retracées sur une trentaine de peintures murales au hasard des rues. Un esprit quelque peu Far-West perdure dans le coin, notamment sous forme de quelques devantures de boutiques à l'allure désuète et d'un bureau de poste unique pour le courrier des résidents.

Ladysmith

Nommée après une bataille victorieuse pour les Anglais à Ladysmith, en Afrique du Sud, cette petite ville de la côte a gardé le charme de ses maisons d'époque. Aventurez-vous jusqu'au Transfer Beach Park, où les nageurs et les kayakistes peuvent s'en donner à cœur joie.

Nanaimo

Ville portuaire, Nanaimo doit une partie de son développement et de sa notoriété actuels au ferry qui la relie à Vancouver par Horseshoe Bay. Sa position centrale à l'est de l'île de

Vancouver et son port protégé par deux îles (Newcastle et Protection) lui ont valu dans le passé le surnom de « Hub City » (la ville pivot). Son histoire commence en novembre 1854, époque où 24 familles de mineurs anglais viennent s'y installer, après 5 mois et demi de voyage (en passant le cap Horn). Une pierre (Pioneer Rock) et une proue de bateau, rappelant celle du Princess Royal, commémorent l'établissement de ces colons. Puis la ville se développe grâce à l'exploitation de la houille et de l'industrie du bois. Aujourd'hui, ses 79 000 habitants vivent principalement du tourisme. Nanaimo poursuit son essor un peu à son insu.

■ NANAIMO
CENTENNIAL MUSEUM

Ce petit musée reconstitue l'histoire de la ville, et notamment celle de son quartier chinois entièrement détruit par un incendie en 1960. Succincte mais intéressante évocation des mines de charbon.

■ THE BASTION

Cette construction militaire, édifiée par la Compagnie de la Baie d'Hudson en 1853 et maintes fois sauvée de la destruction, assurait la protection des résidents de la région de Nanaimo. Poste militaire, prison et aujourd'hui musée de l'Histoire locale, le « bastion » sert aussi, en saison, de centre d'informations touristiques.

Oceanside : Parksville & Qualicum Beach

Elles sont connues aujourd'hui sous le nom d'Oceanside. Ces deux villes jumelles sont devenues une destination traditionnelle pour des vacances en famille. Avec 19 km de plages de sable et 140 festivals annuels, Oceanside

Plongée sous-marine

Trois spots de plongée sur des épaves de cargos, à quelques encablures de la côte de Nanaimo. Dodds Narrows, près de Mudge Island, est sans doute le meilleur pour la plongée individuelle, en raison de sa visibilité exceptionnelle, la concentration de faune sous-marine et la formation étonnante des rochers. Snake Island Wall est magique, qui donne l'impression de tomber dans les abysses.

est un lieu de villégiature aux très nombreuses activités, prévues aussi bien pour ses résidents que pour ses visiteurs.

■ RATHTREVOR BEACH
PROVINCIAL PARK

Dans ce parc de 348 hectares se trouvent les plus belles plages préservées à l'est de Parksville. À marée haute, la baignade est agréable car le niveau de la mer est peu élevé et l'eau a été réchauffée par le soleil durant la marée basse.

■ THE OLD SCHOOL HOUSE

Une ancienne école qui héberge maintenant des galeries d'art.

■ MACMILLAN
PROVINCIAL PARK

Ce parc provincial abrite quelques arbres géants (pins et cèdres rouges) épargnés par les entreprises forestières. Ce sont les précieux vestiges des forêts disparues de l'île. L'enchevêtrement et la position de certains troncs sont époustouflants. D'après les estimations, le plus vieil arbre (« *King of Tree* ») serait âgé de huit siècles.

Le Pacific Rim National Park et la côte sauvage

Le Pacific Rim National Park, d'une immense richesse végétale et animale se divise en trois parties : Long Beach (entre Tofino et Ucluelet), les Broken Islands (une centaine d'îles à l'entrée du Barkley Sound, accessibles en bateau à partir d'Ucluelet, Toquart Bay, Port Alberni) et le sentier de la côte ouest, sauvage et accidenté, qui s'étend sur 75 km entre Bamfield et Port Renfrew.

West Coast Trail

Située dans le Pacific Rim National Park, cette route de 75 km passe par des chutes, des caves, des arches formées par la mer et des plages ; il faut même prendre un ferry. Mais ce n'est pas une petite balade. Comparable au GR20, en Corse, cette randonnée pédestre passe pour la plus impressionnante du pays.

Manchot empereur.

Ucluelet

Prononcer « you-clou-lette ». Dans la langue amérindienne, le nom de ce village de pêcheurs signifie « port sûr et accueillant ». En effet, tout y est axé sur l'océan, de la pêche à l'observation des baleines en passant par les croisières « nature ». Le village n'est pas bien grand. Il offre cependant un accès direct à la réserve du Pacific Rim National Park.

Tofino

Joli village situé à l'extrémité du Pacific Rim National Park et de Long Beach – une longue lanière de sable et de falaises battues par l'océan – Tofino est un des joyaux de l'île de Vancouver. L'endroit est réputé pour la visite régulière des baleines. Ces stars locales, qui jouent un rôle déterminant dans l'activité de la région, sont visibles de la plage mais il est plus excitant de s'en approcher en bateau (les propositions de « *Whale Watching* » fleurissent dans le village). La meilleure période pour les observer est de la mi-mars à la mi-avril, lors du Whales Festival où quelque 20 000 baleines grises migrent. Dans les eaux calmes de sa baie abritée par un rideau d'îles boisées, Tofino est un paradis pour les kayakistes et les surfers de tous horizons et de tous niveaux. C'est aussi un port de pêche où pêcheurs et ostréiculteurs vendent leurs produits (saumons, cabillauds, crevettes, crabes et autres fruits de mer).

Alert Bay

Le patrimoine des Premières nations est parfaitement représenté et préservé à Alert Bay, dans son architecture et ses artefacts, grâce au village des Kwakwaka'wakw. Dans Front

© YUKIKO YAMANOTE - ICONOTEC

Street, vous pouvez voir la trace de l'immigration écossaise, sous la forme notamment d'une église anglicane. Mais l'attraction la plus intéressante d'Alert Bay est son totem le plus haut du monde (53 m), situé tout à côté de la Big House, centre communautaire de la tribu. En juillet et août, le T'sasala Cultural Group y présente des spectacles de danse. Vous apprendrez bien des choses de cette culture, notamment par l'observation de peintures et de sculptures d'ours, d'orques et d'aigles figurant sur le totem. Le U'Mista Cultural Centre, tout proche de la Big House, rassemble les artefacts spécialement créés pour les potlatchs, ce système d'échanges de dons entre peuples des « premières nations ». En 1880, le gouvernement canadien avait interdit ces manifestations et confisqué les objets d'art dans l'intention de « civiliser » la tribu des Kwagiulth. Dans les années 1980, après des changements au gouvernement et la pression exercée par les tribus amérindiennes, la communauté a récupéré une partie de ces objets.

Port Hardy

Dernière ville sur l'Island Highway, Port Hardy abandonne peu à peu son économie traditionnelle, basée sur la forêt, la pêche et les mines, pour se tourner de plus en plus vers le tourisme. Port Hardy est aussi le point de départ du ferry pour Prince-Rupert. Les veilles de départ, le village se remplit de touristes sur le point de quitter l'île.

■ CAPE SCOTT
Le parc offre un sentier de 130 km dans la nature, au départ de Shushartie Bay (ouest de Port Hardy) jusqu'à Cape Scott.

■ PORT HARDY MUSEUM
Outils en pierre datés de 8000 av. J.-C., et souvenirs et reliques des premiers colons danois.

Les îles du golfe

Les îles du Golfe sont au nombre de 200 environ. Elles sont devenues des destinations de villégiature ou de retraite, professionnelle, spirituelle ou sportive, incomparables. Cependant ces îles restent encore une destination exceptionnelle, vierge par endroits, et leur développement économique n'est pas une priorité.

Saturna

Saturna possède des plages idylliques et organise, chaque 1er juillet, un grand méchoui pour ses 350 habitants et ses visiteurs. Pour les amateurs de vie tranquille et sauvage, l'île dispose de petits vignobles intéressants.

The Pender Islands

Ces deux îles sont reliées par un pont de bois qui enjambe un canal. Réputées pour leurs criques protégées et leurs plages, elles sont idéales pour un séjour loin du vacarme de la ville.

Mayne Island

Île bucolique, longtemps connue comme étant le centre de l'agriculture insulaire, Mayne Island s'emploie à préserver ses pâturages et sa qualité de vie. C'est aussi une île qui regorge d'histoire. En effet, elle était le point d'arrêt incontournable pour les nombreux chercheurs d'or qui rejoignaient le continent. Il en reste quelques sites historiques, notamment quelques chapelles édifiées par les pionniers. Outre cela, Mayne Island est aussi un havre regorgeant d'écrivains et d'artistes.

Galiano Island

Bien qu'elle paraisse filiforme sur la carte, Galiano Island est plutôt montagneuse. L'île est devenue une terre d'élection pour les résidences secondaires de quelques personnalités du continent. Le soir venu, ne vous attendez pas à des attractions rythmées et illuminées. Ne soyez pas non plus effrayé par le côté très commercial des environs du terminal de ferry. Il n'est pas représentatif du reste de l'île. Au fur et à mesure que vous vous en écarterez, les forêts et le calme reprennent leur place.

Salt Spring Island

La plus grande des îles du Golfe est surtout réputée pour ses galeries et ses studios d'art. Ses fermes, ses vignobles et ses paysages grandioses attirent de plus en plus de gens du milieu des affaires ou de l'industrie du cinéma. Ganges, le centre de l'île, accueille des coffee shops, des galeries, et un marché le samedi (d'avril à octobre).

Newcastle Island

Petite île accessible en ferry (embarquement toutes les heures), Newcastle est un formidable endroit pour camper en compagnie de chevreuils, de castors et d'une multitude d'oiseaux. Un sentier permet de faire le tour de l'île à pied et, en partie, à vélo. Vous passerez par Kanaka Bay, une crique parfaite pour se baigner. Le Newscastle Island Provincial Park est une destination parfaite pour les randonneurs, les cyclistes et les campeurs. C'était le site de deux villages indiens salish, avant que les colons britanniques n'y découvrent du charbon en 1849. Depuis, le terrain est redevenu inculte et les sentiers sont relativement courts (jusqu'à 4 km),

dont le Mallard Lake Trail, qui mène au lac du même nom, et le Shoreline Trail, caractérisé par son parcours sinueux longeant les falaises et propice à l'observation des aigles.

Gabriola Island

L'île de Gabriola est idéale pour les séjours de détente, mais qui n'excluent pas l'aventure. Comme dans la plupart des îles voisines, les activités principales y tournent autour des arts, de la musique et des fermes. Le quartier commercial du Folklife Village propose d'excellentes galeries d'art. Sandwell Provincial Park est l'une des plus belles plages de Gabriola, et Drumbeg Provincial Park offre des plages idéales pour nager. Gabriola est aussi réputée pour ses pétroglyphes (pierres gravées préhistoriques), surtout près de la United Church (à 10 km du ferry).

L'archipel de Haida Gwaii

L'archipel de Haida Gwaii, appelé « îles de la Reine-Charlotte » jusqu'en 2010, est un ensemble de territoires paisibles et mystérieux, à 130 km des côtes du nord-ouest de la Colombie-Britannique, séparés par le détroit Hecate. La population totale y est de 6 000 habitants dont 3 000 représentants du peuple haida. Elles forment un ensemble de beautés naturelles peuplé d'animaux sauvages.

Queen Charlotte City

Appelé « Charlotte » par les locaux, le village de pêcheurs est perché le long des rives de Bearskin Bay, à 5 km à l'ouest du terminal du ferry. C'est dans ce village que vous trouverez le plus de logements et de restaurants. Il est aussi le point de départ de nombreuses activités touristiques.

■ HAIDA GWAII MUSEUM

Ce musée possède la plus grande collection de sculptures d'argilite et de bois au monde, des artefacts des premiers pionniers, des bijoux, des lithographies et des objets retraçant l'histoire locale.

■ BALANCE ROCK

À 1 km au nord de Skidegate, ce très gros caillou défie les lois de l'apesanteur et les tempêtes de la côte pacifique. Pour certains locaux, il représente le centre spirituel de leur univers.

■ PORT DE PÊCHE

En fin de journée, lorsque les nombreux bateaux de pêche reviennent au port, il est amusant de se promener près de l'entrepôt de conserverie de poissons. Outre le vidage de poissons, vous pourrez observez les nombreux requins qui viennent se régaler des déchets rejetés à la mer.

■ QAY'LLNAGAAY HERITAGE CENTRE

Ouvrant sur six totems incomparables, ce centre est non seulement un lieu de rassemblement, mais aussi le domicile du Bill Reid Teaching Centre, Bill Reid étant un artiste de Haida Gwaii, internationalement renommé.

Masset

Masset est la plus vieille ville de l'archipel, fondée en 1909, à l'est d'une communauté haida appelée Massett. Du fait de la présence d'une ancienne base militaire, Masset offre des services tels que la communication par fibre optique, ce qui surprend dans un tel lieu. La population est très amicale et accueillante, et vous ne tarderez pas à vous habituer à ses pratiques.

■ AGATE BEACH

Pour profiter pleinement de la beauté de la nature sauvage environnante, il faut y venir tôt dans la journée.

■ DELKATLA SANCTUARY

Des oies sauvages, des grues, des cygnes, des hérons bleus, etc. Accès par la Tow Hill Road vers Naikoon Provincial Park (randonnée de 9 km jusqu'au Pesuta, épave d'un naufrage de 1928).

■ NAIKOON PROVINCIAL PARK

Un parc avec plus de 100 km de plages, dont le calme est de temps en temps troublé par le « chant » des baleines grises qui migrent entre mai et juin. On y rencontre aussi des ours noirs, des daims et des loutres. Vous pouvez faire un bref arrêt au petit village de Tlell, dépourvu de « centre-ville » et habité par des artistes.

■ TOW HILL ET NORTH BEACH

Situé à une vingtaine de kilomètres de Masset, ce site est un incontournable. Vous avez deux options. Soit entamer une promenade sur l'interminable plage de North Beach soit suivre le sentier du Cape Fife (Tow Hill Trail). Pour ce dernier, il vous faudra parcourir 10 km dans une forêt absolument étonnante avec ses allures tropicales. Au final, vous arriverez sur la plage est, souvent sujette au vent mais offrant solitude et beauté.

Gwaii Haanas National Park

Le parc est renommé pour sa concentration de totems à l'entrée des anciens villages haida. Flore luxuriante et dense, mousse épaisse et spongieuse, plages interminables et presque désertes, et des eaux d'une clarté surréelle.

En descendant jusqu'à Anthony Island, vous arrivez à Ninstints, village de totems le mieux préservé au monde. La petite île a été classée sur la Liste du patrimoine mondial de l'Unesco en 1981, soit 97 ans après que les dernières familles haida ont abandonné leurs maisons.

Vancouver

Son cadre naturel : voilà ce que vous retenez d'abord de Vancouver. Une baie grandiose avec des îles sur fond de montagnes boisées et de glaciers. Ensuite seulement vous verrez la ville. Une ville capitale, qui n'en a pas le titre, mais se comporte comme telle. C'est aussi une opulente et résidentielle ville verte (troisième ville du Canada, après Toronto et Montréal, et second port de l'Amérique du Nord), au climat imprévisible mais clément, et qui puise ses principales ressources dans la forêt, le tourisme, la pêche et l'extraction de minerais. Le climat, contrairement au reste du Canada, y est modéré grâce à la proximité de l'océan Pacifique ; les températures estivales tournent autour de 20 °C et descendent rarement en dessous de 0 °C en hiver. Nichée entre l'océan Pacifique et les vigoureuses montagnes côtières, Vancouver est de loin la plus pittoresque des villes canadiennes. Unique par l'harmonisation parfaite entre la mère Nature et une urbanité cosmopolite et moderne, et unique par ses diversités culturelles, des Premières nations amérindiennes aux riches communautés asiatiques. Pour le voyageur de passage comme pour ses résidents, Vancouver est avant tout une ville de plein air, éminemment appréciable pour sa qualité de vie, où se pratiquent la voile, la randonnée, le ski en hiver et le jardinage toute l'année.

Musées

■ MUSEUM OF ANTHROPOLOGY (MOA)

Le musée est connu pour ses collections d'objets fabriqués par des peuples aborigènes de la Colombie-Britannique. Ses vastes pans vitrés font face au Pacifique et permettent à la lumière d'effleurer les immenses totems ; la force sereine qui se dégage de leurs formes massives semble remplir l'espace. Le musée présente également une très belle collection de faïences et de porcelaines de diverses époques. Le fonds archéologique est exposé dans des salles vieillottes qui ressemblent à ce qu'elles sont, des antres de chercheurs. L'architecture du musée, signée Arthur Erikson, est magnifique.

■ VANCOUVER MARITIME MUSEUM

Tout proche de Kitsilano Beach, ce charmant musée retrace l'histoire navale de la ville, celle notamment du Discovery, le navire de George Vancouver, ou celle, plus émouvante, du bateau à vapeur *The Beaver*, échoué en 1888, après 50 ans de loyaux services. Vous y verrez aussi de belles maquettes et un vrai bateau contemporain, le Saint-Roch, qui a longtemps patrouillé dans l'Arctique. La visite guidée permet bien d'imaginer l'éprouvante vie quotidienne menée à son bord.

■ ROEDDE HOUSE MUSEUM

Construite en 1893, cette belle maison reprend les lignes de l'architecte Rattenbury, connu pour le bâtiment législatif et l'Empress Hotel à Victoria. Elle est maintenant gérée par une association dédiée à sa restauration et son entretien, en particulier depuis qu'elle a été classée au patrimoine canadien.

Écureuil au Stanley Park de Vancouver.

■ SCIENCE WORLD

Les enfants s'y amuseront et, en plus, ils y verront l'illustration de quelques grands principes physiques (lumière, son, etc.). Les tout-petits apprendront comment une marmotte construit sa maison. À tous, le cinéma Omnimax fera voir la vie en 360°.

■ STORYEUM

Ici, dans le sous-sol du bâtiment, est reconstituée l'histoire (courte) de la province. On suit ses diverses étapes et péripéties comme en tournant les pages d'un livre. Certaines scènes sont traitées dans le style de la comédie musicale, choix inattendu sans pourtant être inapproprié. La remontée à la surface est émouvante : levez les yeux et vous comprendrez.

■ VANCOUVER ART GALLERY

Dans cet ancien palais de justice sont exposées différentes collections d'art contemporain ou régional. Vous verrez, tout particulièrement, l'exposition consacrée à Emily Carr (née à Victoria en 1871), connue pour ses peintures, ses écrits et sa forte personnalité. Un étage entier est réservé aux aquarelles.

■ VANCOUVER MUSEUM

La Colombie-Britannique y est intelligemment présentée et expliquée en détail par des archéologues et des ethnologues. Le musée abrite également le planétarium MacMillan, qui offre une belle vue sur les montagnes et où sont organisées des projections laser.

Parcs

■ STANLEY PARK

C'est, à juste titre, une des fiertés de la ville. Ses 400 hectares dominés par les grands cèdres rouges invitent aux promenades et aux sports de plein air. Escortés par les écureuils gris, les nouveaux arrivants sont surpris de rencontrer, au détour d'un sentier, des vendeurs de tableaux, des portraitistes et des caricaturistes qui donnent à l'endroit une allure de Montmartre. Ne rien perdre des beautés du parc, dont Deadman's Island, Coastal Red Cedar Forest et The Girl in a Wet Suit Statue sont quelques exemples. L'aquarium est un modèle du genre. Didactique et plaisant, il décrit la vie de 4 écosystèmes (forêt amazonienne, Pacifique Sud, Colombie-Britannique et océan Arctique).

Vancouver

Promenade du bord de mer
Ferry
Sky Train
Curiosité
Service
Poste
Hôpital
Centre commercial
Gare et station
Centre d'information

STANLEY PARK

Devonian Harbour Park

Boat Tour

STANLEY PARK

Park Lane

Chilco St.

WEST END

Denman St.

Alberni St.

Haro Street

Barclay St.

Roodde House Museum

Bidwell St.

Comox Street

Dave Street

Nicola St.

Broughton St.

Pendrell St.

English Bay Beach

Jervis St.

Burnaby St.

ENGLISH BAY

Harwood St.

Beach Avenue

Sunset Beach

VANIER PARK

Vancouver Maritime Museum & St-Roch

Vancouver Museum & Space Center

Vancouver aquatic Centre

Ogden Avenue

McNicoll Ave.

Chestnut St.

Whyte Avenue

Observatory

Burrard Bridge

Walnut St.

Cornwall Avenue

Creekside

Public Market

Maple Street

Balsam Street

GRANVILLE ISLAND

Granville St.

2nd Avenue

Vine Street

Cypress Street

Pine Street

3rd Avenue

Anderson

Old Bridge

Centre d'informati

Larch Street

Yew Street

4th Avenue

Laney's Mill Road

SOUTH GRANVILLE RISE

5 th Avenue

Arbutus Street

5 th Avenue

Fir Street

6th Avenue

6th Avenue

Burrard Street

Granville St.

Hemlock St.

Birch St.

7 th Avenue

8 th Avenue

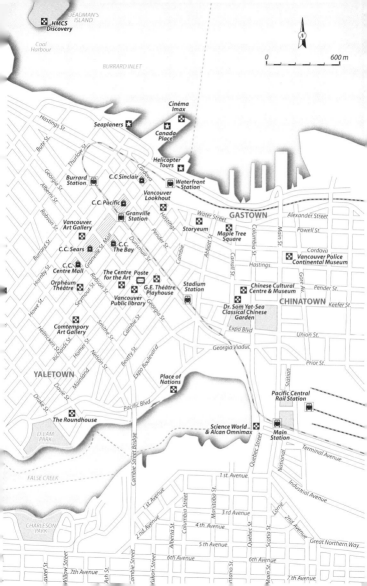

HMCS
Discovery

DEADMAN'S
ISLAND

Coal
Harbour

BURRARD INLET

Cinéma
Imax

Seaplaners

Canada
Place

Hastings St.

Bute St.

Thurlow St.

Helicopter
Tours

Burrard
Station

C.C Sinclair

Cordova

Waterfront
Station

Georgia St.

Alberni St.

C.C. Pacific

Vancouver
Lookhout

Hastings St.

GASTOWN

Alexander Street

Granville
Station

Water Street

Powell St.

Robson St.

Vancouver
Art Gallery

Burrard St.

C.C. Sears

Granville St. Mall

C.C.
The Bay

Dunsmuir St.

Pender St.

Storyeum

Cambie

Abbott St.

Maple Tree
Square

Carrall St.

Columbia St.

Main St.

Cordova

Vancouver Police
Continental Museum

Hornby St.

C.C.
Centre Mall

The Centre
for the Art

Poste

Hastings

Chinese Cultural
Centre & Museum

Gore Av.

Pender St.

Orphéum
Théâtre

Howe St.

Seymour St.

Robson St.

G.E. Théâtre
Playhouse

Stadium
Station

CHINATOWN

Keefer St.

Helmcken St.

Richards St.

Comtempory
Art Gallery

Smithe St.

Cambie St.

Vancouver
Public library

Beatty St.

Dr. Som Yat-Sea
Classical Chinese
Garden

Union St.

Homer St.

Nelson St.

Georgia St.

Expo Blvd

Davie St.

Mainland

Georgia Viaduc

YALETOWN

Expo Boulevard

Prior St.

Drake St.

Place of
Nations

Station

Pacific Central
Rail Station

The Roundhouse

Pacific Blvd

D.LAM
PARK

Cambie Street Bridge

Science World
& Alcan Omnimax

Quebec Street

Main
Station

Terminal Avenue

National

Industrial Avenue

FALSE CREEK

1 st. Avenue

CHARLESON
PARK

1 St. Avenue

2 nd. Avenue

Columbia Street

Manitoba St.

Alberta St.

Quebec St.

3 rd. Avenue

4.th. Avenue

Scotia St.

2nd. Avenue

Great Northern Way

5 th. Avenue

6th. Avenue

Ontario St.

6th. Avenue

Main St.

7 th. Avenue

Laurel St.

Willow Street

Ash St.

Cambie Street

Yukon St.

7th Avenue

0   600 m

En tout, il y a plus de 8 000 animaux. À l'extérieur, dans un des deux bassins jouent 2 orques et 1 dauphin ; dans l'autre s'ébattent les baleines blanches. Des galeries sous-marines facilitent l'observation de ces mammifères, qui vivent à leur rythme et ne sont pas contraints d'exécuter des numéros à heure régulière. L'Aquarium n'est pas un cirque, il appartient à une société privée qui utilise les fonds récoltés pour financer les recherches menées par son équipe de chercheurs.

■ QUEEN ELISABETH PARK

C'est le point le plus haut de la ville, situé à 152 m au-dessus de la mer. Il y a une superbe vue sur le centre-ville. Le samedi, les 53 hectares de ce ravissant parc sont pris d'assaut par les jeunes mariés pour la traditionnelle photo de famille. Compte tenu des nombreuses ethnies qui vivent à Vancouver, vous pourrez ainsi faire un tour du monde des coutumes et des tenues nuptiales. Le ballet des limousines décorées offre un spectacle très kitsch, que vous pouvez apprécier avant d'aller voir le tout aussi coloré conservatoire Bloedel, dont le dôme abrite plantes (plus de 500 espèces), poissons et oiseaux tropicaux. Ambiance moite et parfumée.

Jardins

■ UBC BOTANICAL GARDEN

Une encyclopédie grandeur nature de la flore mondiale, le jardin botanique de l'université et les jardins VanDusen proposent d'agréables et instructives promenades. Le jardin botanique d'UBC en apprend autant sur les plantes exotiques que sur les plantes potagères, tandis que les jardins VanDusen présentent – plus élégamment – un panorama des fleurs de la planète. Cependant, si vous privilégiez avant tout l'ombre et le calme, le petit jardin japonais Nitobe est fait pour vous.

■ VANDUSEN BOTANICAL GARDENS

Absolument magnifiques, surtout en décembre, pendant le Festival of Lights (plus d'un million de lumières à travers le parc).

■ DR SUN YAT SEN CLASSICAL GARDEN

Véritable oasis de tranquillité, le Sun Yat Sen est le premier jardin à la façon de la dynastie Ming construit hors de la Chine.

Plages

La ville de Vancouver compte à elle seule près de 18 km de plages, soit 11 plages, dont la plupart sont dans le centre-ville. En été, la ville a des tendances balnéaires, et les professionnels sortent de leurs bureaux pour aller directement sur le sable. Le tout au pied des Rocheuses, avec une vue imprenable et des barbecues et tournois de beach-volley à la saveur exceptionnelle. Proche du centre, English Bay est à Vancouver, en moins rectiligne, ce que la Promenade des Anglais est à Nice. On peut venir s'y faire bronzer, boire un verre (tant que ce n'est pas alcoolisé…) ou participer, le 1er janvier, au traditionnel bain de l'Ours polaire. Les trois plages de Stanley Park (les 1re, 2e et 3e du nom) la prolongent vers le nord.

De l'autre côté de la baie, la plage de Kitsilano est l'une des plus appréciées. Un peu plus à l'ouest, les plages de Jericho et de Locarno prolongées par Spanish Bank offrent plus de tranquillité. Les surveillants de plage, très *British* – casque colonial et tenue rouge –, scrutent l'horizon sans ciller, même le dimanche quand les familles viennent pique-niquer. Toujours plus à l'ouest, Wreck Beach, une plage de nudistes, fait parler d'elle.

Les environs de Vancouver

North Vancouver

Au nord du *downtown* de Vancouver, sur l'autre rive du Burrard Inlet, cette ville est le centre historique de l'ethnie indienne de la région, la Squamish First Nation. C'est aussi le point de départ vers l'Ouest canadien sauvage (Capilano, Grouse, Squamish, Whistler, mais aussi l'île de Vancouver via Horseshoe Bay).

West Vancouver

La municipalité la plus riche de l'agglomération : un genre de Beverly Hills, sur les hauteurs, surplombant le Pacifique. Les British Properties abritent un golf et des demeures qui rivalisent de taille et d'opulence. De nombreux acteurs et autres millionnaires (sinon milliardaires) habitent sur la côte ; leurs propriétés ne sont souvent visibles que d'un bateau. Ambleside Park, sous le Lions Gate Bridge, est un petit paradis au bord de l'eau. Enfin, le Lighthouse Park est très prisé des familles et des amoureux le week-end.

Horsehoe Bay

La Highway 1 y mène après 20 km, mais il vaut mieux continuer sur rd Main Street et Marine Drive (à West Vancouver, en sortant du Lions Gate Bridge). Cette route étroite offre, entre les arbres et les maisons en bois, une vue panoramique et romantique sur la grande baie de Vancouver. Horseshoe Bay est un petit village plein de charme (en forme de fer à cheval, comme son nom l'indique) qui est surtout le point de départ pour le ferry vers l'île de Vancouver.

■ **CAPILANO RIVER SUSPENSION BRIDGE**
Un pont suspendu de 150 m de longueur, à 70 m du sol, permet de traverser la rivière. Ce pont est le point de départ de nombreux sentiers de randonnée qui mènent à des points d'observation. Le site possède la plus grande collection de totems d'Amérique du Nord et, pendant l'été, vous pouvez y voir les artistes des Premières nations sculptant le bois.

■ **GROUSE MOUNTAIN**
Le sommet de Vancouver (1 100 m d'altitude). À moins de crapahuter sur le Grouse Grind, une « randonnée » plutôt verticale que les Vancouvérois connaissent presque par cœur et qui fait l'objet d'une course annuelle (hiking.grousemountain.com/grousegrind). Si vous voulez profiter d'une vue splendide sur Vancouver ou vous laisser glisser sur quelques pentes enneigées en hiver. Un cinéma en trois dimensions (Theater in the Sky) et de très haute définition donne l'impression au spectateur d'être dans l'action.

Cypress Mountain

La petite station ne désemplit pas en hiver, et pour cause : ouvertes jusqu'à 22h, ses pistes enchantent les locaux après une journée de travail. La nuit, le panorama sur la ville est époustouflant. En été, les randonnées partent de la base et vous réservent des vues magnifiques. surtout en allant vers les Two Lions.

*Une petite balade en raquettes
au cœur de Cypress Mountain ?*

Ces sommets incontournables et réputés parmi les Vancouvérois parce que faciles à reconnaître). Il existe de très belles et agréables balades que vous pouvez faire dans Cypress Provincial Park. Ce parc de plus de 3 000 hectares, situé à l'ouest de Capilano, est planté de cèdres rouges et jaunes et abrite de nombreuses espèces animales sauvages. Une randonnée (haletante) conduit aux Strachan Meadows, où la vue sur Bowen Island et Howe Sound est à couper le souffle. Ouvert toute l'année (y compris en hiver pour le ski).

Mount Seymour Provincial Park

Le Mount Seymour Provincial Park propose, après une marche épuisante, une vue imprenable sur la région, à 1 508 m d'altitude. Le parc voisin (à l'ouest), le Lynn Headwater Park, donne la preuve que la nature sauvage est aux portes de Vancouver.

▶ **À voir :** un vieux moulin de 1908 et, surtout, une piscine naturelle en forme de. À la sortie du pont, prenez la Dollarton Highway pour atteindre (après 9 km) Deep Cove. Cette crique dans un bras de mer (Indian Arm) est le paradis des pêcheurs, des kayakistes et de tous les amoureux de l'eau. Un des plus beaux sites aquatiques à quelques kilomètres de Vancouver.

Bowen Island

À 15 minutes en ferry, cette petite île est idéale pour une échappée d'une journée à la recherche de la tranquillité. Même en plein été, vous n'aurez aucun mal à vous isoler de la foule : l'île a beau être petite, son parc (Crippen regional park) et ses plages sont suffisamment grands pour que vous puissiez vous croire sur une île perdue, bien loin d'une métropole.

Burnaby

Burnaby est le deuxième centre d'emplois de la région après Vancouver ; l'industrie de haute technologie y est en pleine expansion. La ville dispose également de montagnes boisées, de parcs et de terrains de golf. Au-dessus de sa colline (Mount Burnaby), se trouve la SFU (Simon Fraser University), l'autre grande université de Vancouver. Le Nikkei Place est un complexe destiné à la communauté japonaise comprenant un musée, un jardin, un centre de loisirs, des appartements et des boutiques. Au Japanese Canadian National Museum de Nikkei Place, on vous apprendra qu'à la suite de l'entrée en guerre des Japonais et du bombardement de Pearl Harbour, les autorités canadiennes avaient vu d'un mauvais œil ce « péril jaune » bien établi sur le territoire. En 1942, la paranoïa du gouvernement s'est traduite en actes : tous les Japonais de la ville, incluant les jeunes Canadiens de 2e et 3e générations, ont été parqués dans des camps ou carrément déportés. Même si le gouvernement a reconnu sa bévue (en 1988…) et a indemnisé les Japonais, on peut comprendre que ceux-ci évitent depuis de se regrouper en communauté. Depuis la guerre, Nikkei Place est ainsi leur première tentative, empreinte d'un symbolisme prudent. Dans le jardin cohabitent des espèces de plantes canadiennes et japonaises. Dans le hall d'entrée, un pilier de cèdre rouge canadien et un autre de cyprès « hinoki » japonais supportent le bâtiment.

New Westminster

Cette « ville royale », située à une dizaine de kilomètres au sud-est du Downtown de Vancouver, était à l'origine une ville de prospecteurs d'or, fondée par un colonel de l'armée de la couronne britannique. C'est aujourd'hui un grand port qui assure à celui de Vancouver un appui de taille. La ville est connue pour son architecture historique et pour son pont, le « Pattullo Bridge », qui relie New Westminster à Surrey. Ce pont (payant) a vu son nom détourné par un jeu de mots en « Pay-Toll-O Bridge ».

Surrey

Dessinée par le lit de la rivière Fraser au nord et la frontière américaine au sud, Surrey est la deuxième agglomération de la Colombie-Britannique (après Vancouver), en voie de devenir la première vers 2020. Un tiers de sa superficie est constitué de terres agricoles protégées où serpentent 330 km de rivières et cours d'eau. Parce que son économie repose principalement sur l'agriculture, vous pourrez y visiter, de mai à octobre, de nombreux marchés fermiers. Surrey attache aussi une grande importance aux arts et à la culture, comme en témoignent les expositions d'art et autres concerts du Surrey Arts Centre. Enfin, la petite ville de Cloverdale, lieu de plusieurs tournages cinématographiques, est le fief des antiquaires.

White Rock

Ville pittoresque au bord de l'océan. Son front de mer coloré, sa longue jetée, ses plages, ses sentiers de randonnée et ses bons restaurants attirent des visiteurs toute l'année. Peace Arch Park se trouve juste à la frontière américaine (elle correspond d'ailleurs à un poste de douane). La Peace Arch a été construite en 1921 pour commémorer la paix entre les deux pays.

La chaîne côtière

Sunshine Coast

Avec plus de 2 000 heures de soleil dans l'année, la Sunshine Coast mérite bien son nom. Située sur la côte nord-est du Georgia Strait et entre le Howe Sound (sud) et le Desolation Sound (nord), cette côte bénéficie de criques, de plages de sable blanc, de lagons tranquilles et de forêts très denses. Ici, les horaires des ferries dictent l'activité et le rythme des villages.

Sea to Sky

De la mer au ciel. Au sortir de Vancouver, en prenant la Highway 99 (Sea to sky Highway) vers le nord, le panorama est à couper le souffle.

Montagnes, falaises, lacs, forêts et une faune très présente et préservée. Une cour de récréation géante qui offre des activités en plein air tout au long de l'année. En remontant la côte du Howe Sound, vous suivrez les falaises jusqu'à Squamish, paradis des grimpeurs, et continuerez le long du parc glaciaire pour arriver enfin à Whistler, au milieu de deux montagnes jumelles, Whistler et Blackcomb.

Squamish

Squamish est connue comme la capitale des jeux en plein air, et même son centre d'informations s'appelle le Squamish Adventure Centre. Ce terrain de jeux géant offre des possibilités infinies : vélo, canoë, pêche, golf, randonnée, kayak, planche à voile, bateau, skateboard, ski et surf, descente de rapides. Mais la principale attraction de Squamish est l'escalade de son fameux Chief.

■ STAWAMUS CHIEF

Haut de 762 m, le Chief est un monolithe de granite vieux de plus de 100 millions d'années. Ses craquelures et autres fractures en font un environnement parfait pour les grimpeurs puisqu'il offre plus de 1 000 routes différentes pour atteindre ses sommets, en escalade libre ou assistée. Les grimpeurs locaux le vénèrent et le respectent un peu comme un dieu : vous les verrez se préparer à sa base, ou déjà accrochés à sa paroi.

Whistler

Nichée au pied de deux sommets, Whistler (2 182 m) et Blackcomb (2 287 m), la station de Whistler recense 10 000 habitants, dont plus de la moitié sont des saisonniers. Whistler a des airs alpins évidents et son côté village, bien qu'un peu surfait, lui permet de caracoler en tête des meilleures stations de ski en Amérique du Nord. Whistler est devenue LA station de ski très réputée, le Megève de l'Ouest canadien. Le coût de la vie y était déjà relativement élevé avant que Vancouver ne soit sélectionnée pour accueillir les Jeux olympiques d'hiver de 2010. Mais, depuis, les prix de tous les services ont fait un sacré bond et dépassent souvent l'entendement. Et pourtant, il y a toujours ce petit quelque chose qui fait qu'on y revient : son cadre inégalé.

■ SKI ALPIN À WHISTLER – BLACKCOMB

La saison est longue, en raison de la quantité de précipitations annuelles : 9 m de neige. Whistler et Blackcomb, la petite dernière des stations, attirent 2 millions de skieurs chaque année.

Escalade sur glace.

Les deux montagnes comptent plus de 200 pistes à explorer, dont l'une fait 11 km. Avec ses 38 remonte-pentes, vous n'attendez jamais très longtemps. Les plus experts apprécieront le merveilleux enneigement des 12 cols, dont certains ne sont accessibles qu'en hélicoptère.

■ VALLEY TRAIL

C'est une piste principalement pavée qui contourne les lacs Alpha, Nita, Alta et Green. Elle passe par 2 des 3 golfs. La promenade est splendide. La Valley Trail peut se faire à rollers ou à vélo. Le sentier qui entoure Lost Lake est, quant à lui, en petit gravier. Vous pourrez vous y arrêter pour une baignade.

Fort Langley National Historic Site

Le fort recrée ce que la Hudson's Bay Company utilisait comme un relais de poste et d'échange pour l'Ouest canadien. Il a vu passer les commerçants en fourrures et en saumons, les explorateurs et les chercheurs de fortune, qui se dirigeaient vers les mines d'or dans le Nord. À présent, le site revit, animé par des locaux en costumes. Le village de Fort Langley a conservé son architecture de l'époque et mérite un arrêt.

Chilliwack

Cœur vert agricole de la vallée fertile du Fraser, Chilliwack (« eaux vives et courants forts » pour les Amérindiens) constitue une autre grande aire de jeux de plein air, notamment pour les pêcheurs, les randonneurs et les gourmands de produits fermiers (notamment le miel). Le tourisme agricole est en effet source d'activités : des

œufs aux fruits en passant par l'élevage d'émeus, c'est désormais l'or de Chilliwack. Entre juillet et septembre, on peut se perdre dans un labyrinthe géant au milieu de champs de maïs : amusant tant qu'on ne se fait pas surprendre par la nuit (à moins de choisir un soir de pleine lune).

Harrison Hot Springs

On dit qu'en 1859 un chercheur d'or, qui s'était égaré sur le Harrison Lake en canoë, tomba à l'eau. Loin de périr dans l'onde glacée, il trouva l'eau chaude et plaisante. En 1886, un hôtel sera construit sur les bords du lac. Harrison Hot Springs (avec ses 60 km, ce lac est la plus vaste étendue d'eau douce de Colombie-Britannique) est un lieu de vacances et de cures grâce à deux sources minérales et une plage de sable (ainsi qu'un lagon). Ces sources chaudes émergent des rives sud du lac ; leur température varie de 155 °C (sulfure) à 160 °C (potasse). Les eaux du lac, assez fraîches quoi qu'en dise la légende, sont propices aux sports nautiques.

La région de Thompson-Okanagan

La vallée de la Thompson River attire les amateurs de plaisance qui apprécient l'étendue de ses lacs et de ses rivières (plus de 1 000 km à disposition). L'Okanagan est une région à part : véritable oasis de lacs aux eaux tempérées et de « jardins fruitiers », elle se découvre à pied, à vélo, en canoë ou à cheval, comme l'ont fait le peuple amérindien et les premiers Européens au XIXe siècle.

Kamloops

C'est la cinquième plus grande ville de la Colombie-Britannique avec ses 85 000 habitants. Elle se trouve au croisement de deux rivières, North Thompson et Thompson. Ses paysages se caractérisent par leur grande variété : montagnes massives et colorées, eaux paisibles et puissantes des deux rivières qui charrient des convois de troncs d'arbres, centaines de lacs entourant la ville et qui sont des hauts lieux de pêche (une variété de truite a pris le nom de Kamloops), et une station de ski au nord, par la Highway 5 (Sun Peak Resort). Kamloops est une ville carrefour puisqu'elle permet de rejoindre Jasper à 439 km au nord (via le magnifique Wells Gray Park), Revelstoke à l'est, Penticton au sud, Hope au sud-ouest et Whistler à l'ouest (via Cache Creek). Centre agricole de la région, Kamloops attire de plus en plus de retraités de la côte pacifique. Kamloops n'est peut-être pas une ville de carte postale, mais elle possède quelques vestiges intéressants.

■ KAMLOOPS ART GALLERY

La plus grande galerie d'art publique de l'intérieur de la province. Elle expose les travaux de plus de 1 200 artistes canadiens.

■ SECWEPEMC MUSEUM & HERITAGE PARK

Reconstitutions de villages traditionnels du peuple shuswap et présentation de la culture aborigène.

■ WILDLIFE PARK

Superbe zoo où vivent 70 spécimens de la région et d'autres, plus exotiques (grizzly, cougar, tigre, zèbre, perroquet...).

Salmon Arm

À 108 km à l'est de Kamloops, Salmon Arm n'est pas une ville typiquement touristique. On y privilégie le golf, les sports aquatiques et la randonnée, notamment dans le Shuswap Lake Provincial Park et dans le parc de Copper Island. L'Adams River, accessible en suivant les indications au nord de Roderick Haig-Brown Provincial

Le repos du grizzly.

Park, offre tous les 4 ans un spectacle saisissant : en octobre, deux millions de saumons y affluent pour s'y reproduire ou mourir. Un cadeau de la nature ! Chaque premier week-end de juillet, à l'occasion du Salmon Arm Bluegrass Festival, la ville accueille des artistes européens, américains et canadiens dans le R.J. Haney Heritage Park.

Mount Robson

Perché à 3 954 m, le Mount Robson est, lui aussi, abondamment photographié ou filmé par les voyageurs. Le parc, d'une superficie d'environ 225 000 hectares, a été créé en 1913 dans le but de préserver la beauté sauvage des canyons, des forêts et de la montagne. Les plus courageux délaisseront leur voiture et attaqueront les 23 km (aller) du célèbre Berg Lake Trail. Cette randonnée de 725 m d'élévation est populaire à juste titre. Le Berg Lake se trouve sur la face nord du Mount Robson, à 2 400 m.

Osoyoos

Présentant un visage singulier, unique au Canada, la ville d'Osoyoos, située à l'extrémité sud de la vallée de l'Okanagan, est l'endroit le plus chaud du pays. Son nom est dérivé du terme amérindien soyoos, qui signifie « l'endroit où les deux lacs se rencontrent ». Cette oasis de verdure, de vergers et de vignobles est aussi l'endroit où commence un désert, le seul du Canada, qui traverse les États-Unis en passant par le Nevada pour finalement aboutir au Mexique, 6 000 km plus loin. Alors que d'un côté du sommet du Mount Kobau, qui se dresse au nord-ouest dans la vallée, règnent le froid et le silence, et que les immenses conifères et la neige sont balayés par

le vent, la ville d'Osoyoos baigne dans la chaleur, parmi les cactus et les serpents à sonnettes… Une montagne de distance et deux écosystèmes complètement distincts ! Les environs de cette ville de 5 000 habitants abritent une faune extrêmement diversifiée qui comprend, entre autres, 300 espèces d'invertébrés. En été, la ville attire de nombreux touristes, qui viennent de Vancouver ou des États-Unis.

■ HAYNES POINT PROVINCIAL PARK
À 2 km au sud du centre-ville, sur la route 97. Une piste de 1,5 km qui forme une péninsule dans le lac Osoyoos. L'endroit est idéal pour observer l'extraordinaire variété des oiseaux de la région.

■ MOUNT KOBAU
5 km de sentiers et une vue qui donne sur la vallée de l'Okanagan et la vallée de Simikameen. Prenez la route 3 pendant 11 km vers l'ouest d'Osoyoos, jusqu'à l'entrée d'un chemin de gravier de 17 km qui vous mènera à la montagne (suivez les indications). C'est le sommet le plus ensoleillé de la région, et comme les nuages visitent rarement le ciel d'Osoyoos, les gouvernements canadien, français et américain, à la fin des années 1970, avaient choisi cet endroit pour y installer un immense télescope, à des fins de recherche internationale. Mais, finalement, malgré les travaux en cours, c'est l'île d'Hawaï qui a été préférée. Cependant, c'est grâce à ce projet non abouti qu'aujourd'hui une route est aménagée jusqu'au sommet.

■ NK'MIP CELLARS
Le seul vignoble de l'Amérique du Nord exploité par des Amérindiens. Visites guidées et dégustations.

■ NK'MIP DESERT CULTURAL CENTRE

Le centre a pour but de faire connaître la culture amérindienne de l'Okanagan. Parmi les activités qu'il propose, une randonnée guidée dans le désert permet de découvrir 26,8 hectares d'un écosystème très fragile, peuplé notamment de serpents à sonnettes.

■ OSOYOOS LAKE

Situé au cœur de la ville, ce merveilleux lac aux eaux chaudes et exceptionnellement peu profondes est coupé en deux par une langue de terre.

■ SPOTTED LAKE

Sur la Highway 3, à 8 km à l'ouest de la ville. Phénomène naturel très particulier, ce lac contient plus de minéraux que d'eau, ce qui fait qu'on peut le traverser à pied. Il est constitué d'une concentration de calcium, de sodium, de sulfate, d'argent et de titane. Les NK'Mip, peuple des Premières nations de la région, l'appellent le « KT Lix », ou « eau et boue curatives », et s'en sont longtemps servis à des fins thérapeutiques. En été, les rayons du soleil cristallisent les minéraux et d'énormes cercles de couleur se forment sur le lac.

Penticton

Située entre Kelowna et Osoyoos, entre l'Okanagan Lake (au nord) et le Skaha Lake (au sud), la ville de Penticton a des faux airs d'Osoyoos. Bien que plus grande et moins attrayante que cette dernière, elle est un haut lieu de villégiature estivale. En amérindien, son nom signifie « un endroit où rester pour toujours ». Sur les rives du lac Okanagan, on peut visiter un ancien bateau à aubes du Canadian Pacifique : le SS Sicamous. Il reliait Penticton à Vernon de 1914 à 1935.

Chaque année, à la fin du mois d'août, se déroule dans la ville une étape du championnat international de triathlon. Au mois de mai, s'y tient le festival de Meadowlark qui célèbre le patrimoine écologique de la vallée. Cette petite ville chaleureuse mérite un arrêt d'une journée ou deux, ne serait-ce que pour profiter de ses belles plages quand le temps le permet.

■ PENTICTON MUSEUM

Un musée intéressant qui, avec photos à l'appui, reconstitue des scènes de la vie locale au XIXe siècle, depuis le commerce de fourrures aux premiers immigrants chinois, en passant par une importante section de taxidermie.

Kelowna

En langue salish, Kelowna signifie « grizzly ». Cette ville, dont l'opulence des ressources naturelles surprend les visiteurs, se veut aussi une destination culturelle majeure. Mais c'est probablement dans ses paysages multicolores et dans la beauté de ses contrastes naturels que réside son patrimoine artistique. Toutefois, un petit quartier du centre-ville de Kelowna consacre ses activités, publiques et privées, à l'art sous toutes ses formes. Artistes régionaux ou internationaux célébrant le vin ou la sculpture exposent et vendent leurs œuvres dans cet « Art District ».

■ ART DISTRICT

Il est situé dans le centre-ville, sur Water et Ellis Streets, entre les avenues Clement et Queensway. Dans ce quartier dédié à l'art sous toutes ses formes, les visiteurs pourront probablement dénicher une œuvre ou un objet qui comblera leurs vœux.

■ BEAR CREEKS PROVINCIAL PARK

Au milieu des paysages majestueux de la vallée de l'Okanagan, trois chemins de randonnée sont aménagés : Canyon (1 heure 30), Mid-Canyon (30 minutes) et Creek Side (15 minutes). Quelques aires de détente jalonnent les différentes pistes. La végétation, mixte et représentative du reste de la vallée, est dominée par les pins de Ponderosa, immenses conifères légèrement dégarnis, dont l'écorce a la propriété d'être résistante au feu.

■ FLOATING BRIDGE

Achevé en 1958, ce pont flottant sur l'Okanagan Lake mesure 640 m. La circulation est souvent ralentie à ses extrémités.

■ KELOWNA MUSEUM

À l'image de la ville, les objets exposés sont récents et datent principalement du XIXe ou XXe siècle. Toutefois, dans une autre partie du musée, quatre galeries rassemblent des vestiges provenant des cinq continents. Une autre section du musée est consacrée aux jouets miniatures.

■ OKANAGAN VALLEY WINE TRAIN

Découverte des vignobles de la région à bord d'un train.

Le nord de la Colombie-britannique

Prince-George

C'est la plus grande ville du nord de la Colombie-Britannique, Prince-George se trouve géographiquement au centre de la province. Située au confluent des rivières Fraser et Nechako, la ville a longtemps été un axe de transport utilisé d'abord par les Premières nations, et ensuite par les colons européens. En 1914, la voie de chemin de fer Grand Trunk a valu à la ville de Prince-George d'être reconnue et de figurer sur la carte. Prince-George compte plus de 120 parcs, dont la plupart sont reliés les uns aux autres par les Heritage River Trails (total de 11 km). Fort George Park en est le point de départ et d'arrivée : avec ses 36 hectares, c'était d'abord un site de commerce de fourrures. Ne manquez pas le Cottonwood Island Nature Park : les sédiments des inondations régulières de la Nechako River ont formé cette île, qui blanchit en été à cause du coton.

■ PRINCE GEORGE RAILWAY & FOREST INDUSTRY MUSEUM

Une collection importante de trains et voitures d'époque. Quelques pièces uniques, dont un chasse-neige datant de 1903.

■ TWO RIVERS GALLERY

À l'angle de Patricia Boulevard et de Dominion Street, un espace stylé devenu une icône culturelle du Nord de la province puisqu'il réunit les créations d'artistes locaux et régionaux. De là, rendez-vous au Connaught Hill Park : d'en haut, on peut voir la vallée et le centre-ville.

De Vanderhoof à Terrace

Vanderhoof est le centre géographique de la Colombie-Britannique (comme l'indique une marque à 5 km à l'est de la ville). Ici, c'est la nature qui domine (les glaciers, les saisons…), et les communautés.

Kitimat

À 62 km au sud de Terrace, on peut respirer d'autres grands espaces. Randonnée pédestre ou à VTT et, bien sûr, pêche : vous êtes en pleine nature.

Fort Saint James National Historic Site

Premier site colonisé par les Européens, sans qu'il ait été habité par un peuple des Premières nations.

Driftwood Canyon Provincial Park

Situé à 17 km au nord-est de Smithers, le parc regorge de fossiles les plus divers. Les plus beaux spécimens sont exposés au Bulkley Valley Museum.

■ KATHLYN GLACIER

À 8 km à l'ouest de Smithers, tournez au Hudson Bay Mountain Lookout pour admirer le glacier (avant qu'il ne fonde…). Plus loin, en continuant sur la Yellowhead, arrêtez-vous au Moricetown Canyon : dans cette réserve indienne, 15 m de chutes que les saumons s'évertuent à remonter en automne.

■ KSAN HISTORICAL VILLAGE AND MUSEUM

Ksan signifie « entre les rives ». Cette visite vous emmène dans un village autochtone typique : sculptures, fabrication d'outils et de bijoux.

■ KHUTZEYMATEEN GRIZZLY BEAR PRESERVE

À 40 km au nord-ouest de Terrace, se trouve le premier sanctuaire consacré aux ours grizzlis. Pour y entrer, il faut faire partie d'un groupe autorisé (guidé) ou accompagné par un ranger. Pour information, le kermodei, une espèce d'ours noir avec une fourrure blanche, et non-albinos, fait parfois quelques apparitions dans la vallée de Terrace.

Prince-Rupert

Ancien port de pêche, Prince-Rupert est une ville en transition dont économie se tourne désormais de plus en plus vers l'écotourisme. Exposée à l'océan, la ville est un lieu de rencontre : qu'on arrive ou qu'on parte de ou vers l'Alaska, les îles de la Reine-Charlotte ou l'île de Vancouver, Prince-Rupert invite au métissage.

■ MUSEUM OF NORTHERN BRITISH COLUMBIA

Un musée véritablement fascinant, qui expose des objets des peuples haida, tsimshian et nisga'a.

■ NORTH PACIFIC HISTORIC FISHING VILLAGE

Toute l'histoire du saumon et de la vieille conserverie du XIXe siècle qui employait des autochtones, des Japonais, des Chinois et des Européens. Après de très bonnes années, la conserverie a fermé en 1968. À voir, pour apprécier l'évolution des populations de la côte Ouest et de l'industrie de la pêche.

L'autoroute Stewart-Cassar

De Terrace, la Highway 37 remonte vers le nord, isolé, lointain et vierge, et rejoint Watson Lake (Yukon) après 1 963 km de route difficile et désertée par les populations, mais pas par la faune sauvage des montagnes du Nord. Les paysages sont absolument confondants de beauté, et ils se méritent.

L'autoroute de l'Alaska

→ **En remontant vers le nord sur la Highway 97** depuis Prince-George,

© STÉPHANE SAVIGNARD

vous traverserez le Carp Lake Provincial Park : ses îlets et lacs sont plus faciles à explorer en bateau, mais des randonnées pédestres peuvent déjà vous donner une bonne idée du cadre. À 180 km de Prince-George, MacKenzie possède un énorme lac, le Williston Lake, réservoir de la région. En allant vers l'est, vous attaquerez les Rocheuses au Pine Pass. Là, la petite et bien nommée station de ski Powder King enregistre plus de 12 m de neige par an.

→ **À Chetwynd,** connue en 1912 comme « la petite prairie », vous aurez le choix de continuer vers le nord jusqu'à Hudson's Hope (Highway 29) ou d'aller vers l'est pour gagner Dawson Creek. Hudson's Hope, petite ville de 1 000 habitants, ancien centre de commerce de fourrures, attire désormais les curieux grâce à ses deux barrages : W.A.C. Bennett Dam et le Peace Canyon Dam.

→ **À 374 km de Fort Saint John,** après avoir traversé des forêts boréales et des paysages de plus en plus montagneux, on arrive à Fort Nelson. Les rivières Muska, Prophet et Sikanni Chief convergent ici et forment la Liard River. Le Fort Nelson Historical Museum, au nord de la ville, retrace l'ambitieuse épopée de la construction de l'Alaska Highway, un projet proprement gigantesque pour l'époque. L'extraction de pétrole, de gaz et de charbon constitue les principales ressources de Fort Saint John (15 000 habitants). Vous ne pourrez pas manquer son derrick de 40 m de haut, au North Peace Museum.

→ **Toujours plus au nord,** et avant d'entrer dans le Yukon, on gagne encore de l'altitude jusqu'au Summit Pass (1 295 m), après avoir traversé le Stone Mountain Provincial Park, très fréquenté, surtout pour le Summit Lake (à 140 km à l'ouest de Fort Nelson). La route continue à travers le Muncho Lake Provincial Park et ses 88 000 hectares. Arrêtez-vous au Muncho Lake, la vue y est magique. La balade se termine dans les piscines naturelles du Liard River Hot Springs Provincial Park, dont le microclimat a permis de prospérer à plus de 80 espèces de plantes endémiques.

Des Kootenays aux Rocheuses

À l'est de l'Okanagan, avant d'atteindre les Rocheuses, vous traverserez la Kootenay Valley. Ensuite, vous pourrez partir à la rencontre des montagnes ultimes, les vraies, les imposantes Rocheuses. Pour skier, randonner ou tout simplement admirer les paysages.

Nelson

De toutes les villes de l'intérieur de la province, Nelson est sans doute la plus séduisante, grâce à son architecture du XIXᵉ siècle encore intacte. Le centre-ville a conservé son style victorien. La proximité des lacs, des montagnes et des rivières attire à Nelson un nombre sans cesse croissant d'artistes, qui y trouvent matière à inspiration et s'y installent.

■ CITY HALL & COURT HOUSE
Pour leur architecture dessinée par Rattenbury, également responsable du Parlement et de l'Empress Hotel à Victoria.

■ NELSON MUSEUM
Objets du peuple aborigène ktunaxa et des dukhobors, membres d'une secte chrétienne russe implantée dans la région à la fin du XIXᵉ siècle.

■ RANDONNÉES
Le centre touristique fournit des cartes gratuites des chemins et sentiers des environs. Quelques voies de chemin de fer sont maintenant utilisées pour la randonnée, à pied ou à vélo, comme le Burlington Northern Rails-to-Trails System. Au nord-est de Nelson, vous pourrez découvrir le Kokanee Glacier Provincial Park.

■ AINSWORTH HOT SPRINGS
À 40 km au nord de Nelson se trouvent les sources chaudes d'Ainsworth, utilisées, à la fin du XIXᵉ siècle, par les Amérindiens pour soigner leurs blessures et autres maux. Le complexe propose aussi des massages, des bains de vapeur et tout ce qu'il faut pour vous dorloter.

■ STATION DE SKI DE WHITEWATER
À seulement 16 km au sud (Highway 6), cette station reçoit une moyenne de 12 m de neige par an. 80 % des pistes paraissent faciles aux bons ou très bons skieurs.

Cranbrook

■ CANADIAN MUSEUM OF RAIL TRAVEL
Certaines voitures, construites au début du XXᵉ siècle pour le CPR (Canadian Pacific Railway), ont été restaurées.

■ FORT STEELE HERITAGE TOWN
Après que le chemin de fer a mis fin à la ville de mineurs, le site a été reconstruit et revit à présent à travers quelques animations destinées à préserver son patrimoine.

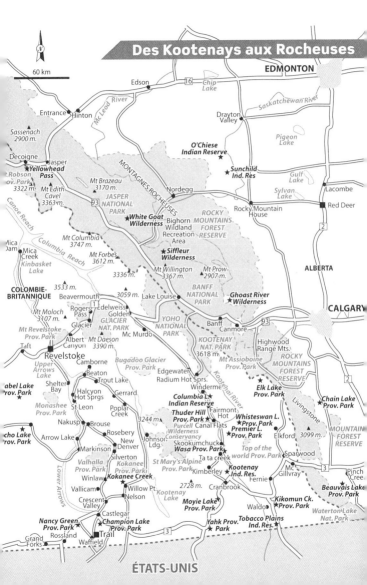

Des Kootenays aux Rocheuses

60 km

EDMONTON

Edson

Chip Lake

Entrance

Hinton

McLeod River

Saskatchewan River

Drayton Valley

Pigeon Lake

Sassenach 2900 m.

Decoigne

Jasper

Yellowhead Pass

ov. Park 3322 m

Mt Edith Cavell 3363 m.

Mt Brazeau 3170 m.

MONTAGNES ROCHEUSES

Nordegg

O'Chiese Indian Reserve

Sunchild Ind. Res

Gulf Lake

Lacombe

JASPER NATIONAL PARK

White Goat Wilderness

Bighorn Wildland Recreation Area

ROCKY MOUNTAINS FOREST RESERVE

Rocky Mountain House

Sylvan Lake

Red Deer

Canoe Reach

Mica Dam

Mica Creek

Columbia Reach

Mt Columbia 3747 m.

Mt Forbes 3612 m.

Siffleur Wilderness

Kinbasket Lake

3336 m.

Mt Willington 3367 m.

Mt Prow 2907 m.

ALBERTA

COLOMBIE-BRITANNIQUE

3533 m.

Beavermouth

3059 m.

Lake Louise

BANFF NATIONAL PARK

Ghoast River Wilderness

Mt Moloch 3107 m.

Rogers Pass

Edelweiss

Golden

CALGARY

Glacier

GLACIER NAT. PARK

Mt Daeson 3390 m.

Mc Murdo

YOHO NATIONAL PARK

Banff

Canmore

Taft

Albert Canyon

Revelstoke

Camborne

Bugaboo Glacier Prov. Park

Edgewater

Radium Hot Sprs.

KOOTENAY NAT. PARK 3618 m

Mt Assiniboine Prov. Park

Highwood Range Mts.

ROCKY MOUNTAINS FOREST RESERVE

Upper Arrows Lake

Beaton

Trout Lake

Winderme

Mt Revelstoke Prov. Park

abel Lake ov. Park

Shelter Bay

Halcyon Hot Sprgs

St Leon

Gerrard

Columbia L. Indian Reserve

Fairmont Hot

Elk Lake Prov. Park

Chain Lake Prov. Park

Livingstone

Monashee Prov. Park

Poplar Creek

Thunder Hill Prov. Park

Canal Flats

Whisteswan L. Prov. Park

Premier L. Prov. Park

cho Lake ov. Park

Nakusp

Brouse

3244 m.

Purcell Wilderness Conservancy

Skookumchuck

Top of the world Prov. Park

Elkford

3099 m.

Sparwood

MOUNTAIN FOREST RESERVE

Arrow Lake

Markinson

Rosebery

New Denver

Johnson Ldg.

Valhalla Prov. Park

Silverton

Kokanee Prov. Park

St Mary's Alpine Prov. Park

Ta ta creek

Kootenay Ind. Res.

Mc Gillvray

Pinch Cree

Lower Arrows

Kokanee Creek

Kimberley

Cranbrook

Fernie

Winlaw

Willow Pt.

2728 m.

Beauvais Lake Prov. Park

Vallican

Nelson

Kootenay Lake

Moyie Lake Prov. Park

Kikomun Ck. Prov. Park

Waldo

Waterton Lake Nat. Park

Crescent Valley

Nancy Green Prov. Park

Castlegar

Champion Lake Prov. Park

Tobacco Plains Ind. Res.

Grand Forks

Rossland

Waffield

Trail

Yahk Prov. Park

ÉTATS-UNIS

Crowsnest Pass

Situé à la frontière de l'Alberta et de la Colombie-Britannique, ce col évoque une catastrophe survenue le 29 avril 1903. Au lieu-dit « Franck », la montagne s'est effondrée et a déversé 90 millions de tonnes de roches sur la ville. Le spectacle est impressionnant, les blocs de rochers semblent être en polystyrène.

■ SKI – FERNIE ALPINE RESORT
Le domaine skiable dépasse largement les 1 000 hectares et les remontées mécaniques peuvent transporter jusqu'à 12 300 skieurs à l'heure (mais ça n'arrive jamais ici).

Kimberley

Connue comme la ville bavaroise, Kimberley doit son nom à une mine de diamant d'Afrique du Sud, bien qu'elle ait bâti sa fortune sur le plomb et l'argent. Son cadre bavarois est joliment surfait et les spécialités culinaires germaniques prolifèrent. Cominco's Sullivan Mine, la dernière mine en activité, a fermé en 2001.

Radium Hot Springs

Radium, qui compte 1 000 habitants, possède des dizaines de motels : c'est dire la densité des visiteurs dans la région. Bien sûr, vous pourrez aller aux sources chaudes, mais la ville est connue pour être sur le chemin de migration de nombreux oiseaux (le Pacific Flyway). En mai, s'y tient le Wings over the Rockies Bird Festival. Ornithologues et amateurs viennent observer oies sauvages, hérons bleus et canards, parmi plus d'une centaine d'espèces.

Kootenay National Park.

Kootenay National Park

Le Kootenay National Park abonde en sentiers, canyons et animaux sauvages. On peut parcourir le Marble Canyon (61 m de profondeur) et descendre aux Paint Pots, là où les minéraux de fer colorent les piscines naturelles en rouge et jaune. À Hector Gorge, après Vermillon River Valley, on s'arrêtera pour chercher les mouflons du côté du Mount Wardle, vers le nord. En redescendant vers Radium, on pourra passer le Sinclair Canyon : 10 km de méandres formés par les eaux glaciaires.

Revelstoke

Au pied du Mount Revelstoke National Park, la ville de Revelstoke semble coincée dans une vallée étroite, mais quelle vallée ! Le centre-ville a gardé son charme des années 1880, et les hôtels et les magasins sont logés dans des bâtiments de l'époque. Lieu renommé pour l'héli-ski, le rafting, la randonnée et l'équitation, Revelstoke rivalise facilement avec Banff et Jasper.

■ GRIZZLY PLAZA

Dans le centre-ville, une place de brique rouge avec un ours énorme. C'est là que se tient le marché du samedi. Du 1er juillet au premier lundi de septembre, en semaine, à 19h, on y donne des concerts gratuits.

■ REVELSTOKE RAILWAY MUSEUM

L'histoire de Revelstoke et celle du chemin de fer qui a fait de la ville un petit point sur la carte, ainsi qu'une locomotive à vapeur des années 1940, restaurée.

■ LA

C'est la 3e plus grande rivière en Amérique du Nord en termes de débit. Parmi tous les barrages qui la contrôlent, l'un, situé à 8 km au nord de Revelstoke, se visite. 175 m de haut et 470 m de long, ou comment se sentir minuscule !

Mount Revelstoke National Park

Fort de ses 26 000 hectares, le Mount Revelstoke National Park vous permet de vivre l'expérience alpine (presque) sans effort. Sa végétation variée autour des deux sommets, le Mount Coursier et le Mount Inverness, tous deux à 2 637 m, inclut des cèdres et des sapins. Plusieurs randonnées sont possibles.

Golden

D'abord point d'embranchement sur le tracé du Canadian Pacific Railway, puis terminus du bateau à vapeur sur la Columbia River, la ville de Golden est désormais réputée pour sa situation à 1 heure 30 de route de cinq grands parcs nationaux.

■ KICKING HORSE MOUNTAIN RESORT

La station est ouverte toute l'année depuis 2001, et offre des pistes plutôt verticales aux skieurs et surfeurs expérimentés. Le Golden Eagle Express vous emmène en 12 minutes au sommet : vue inégalée sur les Rocheuses. Également des randonnées pédestres et à VTT, avec des élévations de 1 000 m. En haut du téléphérique, le restaurant Eagle's Eye propose une cuisine délicieuse avec une vue époustouflante.

■ COLUMBIA RIVER WETLANDS

S'étendant à 144 km au sud de Golden, les marais de la rivière Columbia abritent près de 300 espèces d'oiseaux.

Banff National Park

Premier parc national ouvert au Canada, le Banff National Park jouit d'une grande popularité depuis 1985. Sa grande beauté et le niveau de ses équipements sportifs et hôteliers justifient pleinement cet engouement, partagé par plus de 5 millions de visiteurs chaque année, dont la plupart arrivent entre juin et août. Par conséquent, Banff et sa région sont la destination n° 1 des visiteurs au Canada. La visite du parc débute par le lac Louise, et on ne peut rêver meilleure entrée en matière. La région est d'un accès facile par la Transcanadienne et le chemin de fer. Ensuite, la voiture s'impose, tellement les distances et les plus beaux sites sont éloignés de votre point de départ.

Nous vous suggérons d'emprunter d'abord la Bow Valley (1 A), qui commence à 5 km à l'ouest de Banff, de continuer vers le Johnston Canyon, pour terminer au pied des glaciers, en allant vers le col de Sunwapta.

Lake Louise

Ce célèbre lac est assurément un lieu touristique, et on en comprend vite la raison. Ses eaux d'un bleu vert crémeux sont tout simplement uniques. Découverts en 1882 par un guide de la compagnie des chemins de fer Canadian Pacific, le lac et le Mount Victoria qui le surplombe sont très vite devenus La Mecque des grimpeurs. Grâce à la ligne ferroviaire tout juste inaugurée, artistes, photographes et touristes ont emboîté le pas à ces pionniers, faisant du lac Louise un endroit à la mode, une mode qui ne s'est toujours pas démentie. Un agréable sentier relie le village au lac. Une remontée mécanique offre une promenade inoubliable jusqu'à 2 000 m d'altitude : vue spectaculaire du lac Louise, des glaciers, de la flore… et, régulièrement, de la faune de la région.

Agnès Lake

Un parcours facile et agréable débute sur les rives du lac Louise et conduit à un point de vue qui permet d'apprécier, en contre-plongée, les eaux vertes et opaques du lac (7 km aller-retour). Près du petit et charmant lac Agnès, un salon de thé, aménagé dans une cabane en bois, donne l'occasion de se restaurer en compagnie de très nombreux écureuils gris, friands de muffins, de cookies et d'autres pâtisseries vendus ici. Le lac Agnès tient son nom d'Agnès MacDonald, la femme du Premier ministre canadien J. A. Mac

Donald. La première dame du pays entre dans la légende en 1886, pour avoir parcouru les derniers 1 000 km d'un voyage transcontinental, installée sur le « chasse-bestiaux », la partie frontale du train. Le Premier ministre, lui, ne réussit à l'accompagner que pendant 40 km. Dans le milieu bourgeois de l'époque, l'exploit de dame Agnès sera à l'origine d'un véritable engouement pour ce genre de locomotion.

Plaine des Six Glaciers

Située dans le prolongement du lac Agnès, cette promenade est sans doute l'une des plus belles des environs. Elle n'est pas spécialement difficile mais longue (11 km aller-retour). Un petit chalet niché dans les bois vous attend avec quelques consommations. À partir de ce point, il vous reste un petit kilomètre sur un sentier plus étroit pour atteindre le clou du spectacle.

Lac Moraine

Autre star du parc, ce lac a l'honneur d'illustrer l'ancienne coupure de 20 $. Un sentier conduit au point de vue que reproduit le billet. Vous pouvez, là encore, faire du canoë. De cette étendue d'eau, ceinturée par la vallée des Dix Pics, partent de nombreuses randonnées de tous niveaux.

Lake Louise Sightseeing Gondola

Le téléphérique grimpe à 2 057 m d'altitude. À cette hauteur, il est difficile de résister au charme panoramique des Rocheuses canadiennes.

Banff

Destination privilégiée des Rocheuses, connue et appréciée pour ses pistes de ski, mais aussi pour ses deux sources thermales chaudes, Banff est bouillonnante de vie, et de toutes sortes de vies. La ville a été bâtie au cœur d'un couloir naturel de migration de certaines espèces animales, dont le wapiti. Vous pourrez donc croiser une de ces bêtes, reconnaissables à leur panache et à leur démarche distinguée, en train de déambuler dans la ville, tandis que vous ferez du lèche-vitrines sur l'avenue principale. Les élans qui sont partout dans la région viennent également s'aventurer dans les rues de Banff et de Jasper. Située à 1 372 m au-dessus du niveau de la mer, Banff est la ville la plus haute du Canada. Séparée d'est en ouest par la rivière Bow (ses rives offrent une belle promenade), elle s'étend de part et d'autre de Banff Avenue, où sont installés divers magasins.

■ BANFF PARK MUSEUM
Dans cette maison de bois conçue de façon à ce que la lumière du jour éclaire les collections, vous pouvez voir toute la faune des Rocheuses : loup, couguar, bison, chèvre et élan, l'un de ces gros cervidés au museau invraisemblable et aux bois larges et plats. Vous y apprendrez à distinguer un grizzly d'un ours noir et pourrez imaginer la vie de Norman Bethune Sanson, conservateur du musée au début du siècle, qui escaladait chaque jour le mont Sulphur pour recueillir des informations météorologiques.

■ BUFFALO NATIONS LUXTON MUSEUM
Ce musée s'intéresse au passé indien de la région. Les deux grandes salles en rondins exposent des objets et des vêtements ayant appartenu aux Indiens Sarcees et Blackfoot, notamment les pipes dans lesquelles ils fumaient un mélange de saule rouge et de tabac. La reconstitution de la cérémonie « Sundance », au cours de laquelle les Indiens s'infligeaient parfois des blessures, est particulièrement saisissante.

■ CAVE AND BASIN, SITE HISTORIQUE NATIONAL DU CANADA
Classé par l'Unesco sur la liste du patrimoine mondial, ce site est l'ancêtre des parcs nationaux du Canada. Son petit musée permet d'en apprendre beaucoup sur l'histoire de la découverte de l'Ouest canadien. Mais son attraction principale est sans doute la visite de la grotte où a été découverte la première source thermale. Des sentiers sont aussi aménagés afin de permettre l'exploration de la faune (en particulier les oiseaux) et de la flore.

© ADRIO - FOTOLIA

Cascade dans les Rocheuses canadiennes.

VISITE

Des Kootenays aux Rocheuses

55

■ NATURAL HISTORY MUSEUM

Un petit musée géologique bien fait pour satisfaire la passion des amateurs de vieilles pierres. Dans ce qui ressemble à un antre vieillot, vous verrez un énorme bloc de charbon et des morceaux d'ammolite, pierre que l'on ne trouve qu'en Alberta. La légende du Big Foot est ici ravivée par les témoignages d'observateurs de bonne foi.

■ SULPHUR MOUNTAIN GONDOLA LIFT

Les cabines permettent d'atteindre en 8 minutes le sommet du mont Sulphur (2 285 m) et de contempler ainsi un superbe panorama. Les Rocheuses s'y découvrent dans toute leur splendeur. Incontournable (13 millions de visiteurs !).

■ TRAIL OF THE GREAT BEAR OU SUR LA PISTE DE L'OURS

Internationalement réputé, ce circuit de plus de 3 300 km s'étire du parc américain de Yellowstone jusqu'à celui de Jasper, en passant par Waterton et Banff. Il traverse les paysages les plus sauvages de l'Ouest canadien, avec ses immenses forêts et sa nature sauvage. Le grizzly est en liberté dans ces vastes étendues.

■ UPPER HOT SPRINGS POOL

Les Hot Springs sont des sources d'eau extérieures extrêmement chaudes. Tirant toute sa chaleur des profondeurs de la terre, l'eau chargée de minéraux remonte à la surface, pour le plus grand plaisir de tous. Pour une expérience totale, y aller le soir pendant une tempête de neige.

■ LAKE MINNEWANKA

Randonnée, canoë, pêche, tour de bateau, camping. Un lac magnifique

Ski alpin

Certains n'hésitent pas à parcourir des milliers de kilomètres, uniquement pour venir skier à Banff. Le mont Norquay et Sunshine Village font partie des stations de ski les plus appréciées en Amérique du Nord.

→ **Sunshine Village.** Dans la région, c'est le premier choix des planchistes.

→ **Ski Banff Norquay.** La montagne se trouve à quelques minutes de Banff, en direction de Canmore.

où les cerfs et autres bêtes sauvages se rafraîchissent régulièrement. En amérindien, minnewanka signifie « l'eau des esprits ».

■ LAKE VERMILLON

Ce lac chéri des photographes est aussi un excellent lieu pour s'adonner aux plaisirs du kayak ou du canoë, mais on ne peut pas en louer sur place. Les couchers du soleil y sont particulièrement spectaculaires.

■ KANANASKIS COUNTRY

Développé dans les années 1970, à la suite du boom économique dû au pétrole, le Kananaskis Country est un projet destiné à promouvoir les activités récréatives. Pour autant, les animaux sauvages y sont encore chez eux et les 300 espèces de plantes sont concentrées dans le « petit » Bow Valley Provincial Park. Tout a été pensé : du rafting ou du kayak dans les eaux turbulentes de Canoe Meadows à la randonnée vers Barrier Lake ou Mount Lorette Ponds, en passant par les terrains de golf, notamment sur le Mount Kidd. Le site est aménagé de façon à valoriser Nakiska, station où se sont déroulées les compétitions de ski alpin lors des Jeux olympiques de 1988. Fortress Mountain est un peu plus éloignée, mais offre davantage de neige, souvent immaculée.

Canmore

La ville de Canmore est située au pied des Three Sisters, dans la Bow Valley, à 28 km à l'est de Banff et à 126 km à l'ouest de Calgary. Canmore a vu sa population tripler en 20 ans. Est-ce pour avoir prêté son décor à quelques grands films (*Legends of the Fall, Snow Dogs* ou encore *Shanghai Noon*) ? Ou simplement pour sa situation au cœur des Rocheuses, où elle est éclipsée par Banff la rutilante, donc un peu moins courue ?

La route des glaciers (Icefields Parkway)

Le trajet (236 km), sur la 93 entre Jasper et Banff, suit l'incontournable

« promenade des champs de glace », surplombée par des pics brisés, des masses rocheuses déchiquetées et des glaciers. On roule pendant des heures sur une autoroute entourée de glaciers à perte de vue, gracieuseté datant de l'époque préhistorique. L'autoroute à elle seule vaut le déplacement. Cette voie, que traversent parfois de blanches chèvres de montagne, passe près des vigoureuses chutes d'Athabasca (32 km au sud de Jasper) et du champ de glace Columbia.

Peyto Lake

Incontournable pour sa couleur et son immensité, ce lac doit son nom à un certain Bill Peyto. En 1898, au cours d'une expédition, ayant cherché quelques moments de solitude, Bill s'est égaré, a glissé, et ses compagnons de route l'ont retrouvé endormi au bord de ce lac. Joli réveil ! Allez jusqu'au Bow Summit Parking, suivez un petit sentier, et voilà.

© NEU, GOA - FOTOLIA

Kananaskis Country.

Glacier Columbia

Situé à 130 km au Nord de Lake Louise, il s'agit sans doute d'un incontournable sur cette route.

Sunwapta Falls

Une promenade didactique au sein d'une gorge impressionnante.

Athabasca Falls

Une chute de 23 m de haut et qu'on entend de loin.

Jasper National Park

D'une superficie de 10 878 km², c'est le plus grand parc des Rocheuses canadiennes. Il attire 2 millions de visiteurs par an, qui viennent se promener, faire du vélo, de l'escalade et du cheval sur les 1 500 km de sentiers. Malgré son succès, Jasper conserve un caractère sauvage et secret qui le distingue de son voisin, le parc national de Banff. Le parc couvre la région des sources thermales de Miette, où il est possible de prendre un bain dans des eaux à la température du corps. L'hiver, le ski de fond est la discipline favorite à Jasper, bien qu'à Marmot Bassin on trouve quelques belles descentes de ski alpin. Le parc peut être divisé en six différents secteurs : la promenade des glaciers (glacier Athabasca), la route de la Maligne, les sources thermales de Miette (au nord-est de Jasper), le mont Whistler, le mont Edith-Cavell (3 363 m) et la région des lacs (Patricia et Pyramid).

Jasper

À 860 km de Vancouver, Jasper, petite ville touristique et sans grand charme, s'étire le long de la voie ferrée où passe le fameux train transcanadien. La ville est en effet un grand centre ferroviaire depuis le début du siècle et son nom lui vient d'un employé de la Compagnie du Nord-Ouest, Jasper Hawes, qui vécut au début du XIXe siècle. Une visite au musée d'Histoire de la ville est indispensable pour se rendre compte que, décidément, la vie à l'époque n'était, pour le commun des mortels, que travail et misère : The Jasper-Yellowhead Museum and Archives.

■ PYRAMID LAKE

Seuls les bateaux à moteur électrique sont autorisés sur ce lac. Possibilité de louer des canoës et des bateaux. Les alentours du lac, très fréquentés en été pour ses activités nautiques, sont un territoire de migration pour les loups. Le lac et l'île doivent leur nom au mont Pyramid (2 763 m) qui, en effet, à cet endroit, accapare toute l'attention. Ses tons roses et orangés sont une réaction de la pyrite aux intempéries.

■ WHISTLER

Trois heures de marche facile (7 km aller), le long d'un sentier tracé sous les arbres, permettent d'atteindre le poste d'observation. Une trentaine de minutes sont ensuite nécessaires pour parvenir au sommet. De là, se dévoile un panorama époustouflant. Au petit matin surtout, le spectacle est d'une grande pureté. Les lueurs naissantes nimbent les massifs et soulignent le bleu vert des lacs Edith et Annette, que l'on distingue dans le bas de la vallée. Un téléphérique propose une alternative (paresseuse) à cette randonnée.

■ MIETTE HOTSPRINGS

Même concept qu'à Banff pour vous « rafraîchir » dans les eaux thermales à 40 °C.

■ LAC MALIGNE

C'est le plus long lac (23 km) des Rocheuses canadiennes et le lac gla-ciaire le plus vaste du monde (donc pas de baignade). Il y a peu de lacs dans le monde qui peuvent rivaliser avec sa splendeur (Spirit Island, Opal Hills). Les épais massifs forestiers qui l'entourent abritent une faune très variée. Les élans, impressionnants cervidés, apprécient – tout comme les moustiques – l'humidité des lieux. Son nom lui a été donné par un jésuite, le père Pierre de Smet, dont les chevaux avaient été emportés par le courant violent d'un cours d'eau. Sur la route se trouve également le Canyon Maligne qui vaut le détour.

■ MEDICINE LAKE

Sur la Maligne Lake Road, le lac Medicine, situé à 27 km de Jasper, demeure une énigme : il se vide de son contenu une fois par an. En fait, les eaux montent après la fonte des neiges, puis s'infiltrent progressivement dans la roche calcaire. Ainsi, le lac est quasiment vide, ses eaux s'étant transvasées dans la rivière Maligne voisine.

■ CHUTES D'ATHABASCA

Un superbe site pour communier avec les forces de la nature ! Bien qu'elles soient très agréables à voir, ce ne sont pas les chutes qui impressionnent le plus, mais les effets dus à l'érosion dont elles ont été la cause au cours du temps et que l'on peut observer en empruntant différents sentiers.

■ MONT EDITH CAVELL

Ce détour vaut bien la peine car vous arriverez littéralement au pied d'un glacier de montagne. Une promenade de 2 km relativement facile y mène.

VISITE

Des Kootenays aux Rocheuses

Retrouvez l'index général en fin de guide

L'Ontario

Grand comme deux fois la France, l'Ontario est une province prospère, industrielle, agricole et touristique, dominée par la présence des Grands Lacs.

Le lac Supérieur

D'une superficie de 82 000 km² et plus, le lac Supérieur s'inscrit comme le plus grand lac d'eau douce du monde. On qualifie sa beauté d'austère, avec ses eaux froides, ses falaises striées par les glaciers et ses rochers âgés de milliards d'années. Sur ses rives ontariennes, qui font 4 200 km, vous découvrirez des traces de météorites, de calottes glaciaires et d'activité volcanique ainsi que des fossiles de 1,8 milliard d'années.

Thunder Bay

Le port de Thunder Bay, situé sur le lac Supérieur, est exceptionnel. C'est un terminus pour les cargos qui remontent le Saint-Laurent. Autrefois lieu de rendez-vous des trappeurs, il est devenu aujourd'hui le troisième port mondial et le premier céréalier. Le lourd ballet des navires de 300 000 tonnes près des silos de Thunder Bay est assez impressionnant.

La ville est aussi célèbre pour son Big Thunder Ski Jump, où l'on vient du monde entier s'entraîner à des sauts de 90 et 70 m.

■ FORT WILLIAM HISTORICAL PARK

Au milieu du XIXᵉ siècle, le fort était le siège de la compagnie du Nord-Ouest, et le centre de la fourrure en Amérique du Nord. Aventuriers, trafiquants et voyageurs venaient y faire halte. Selon le Toronto Star, le site constitue l'une des dix meilleures attractions du pays.

Sault-Sainte-Marie

Le pont qui la relie à sa jumelle américaine sépare le lac Supérieur du lac Huron et voit passer les grands cargos de marchandises. Ce sont ses écluses qui ont fait la prospérité de la ville. Cette activité fluviale explique la relative aisance de Sault-Sainte-Marie, traversée par la plaisante Queen Street où s'alignent magasins et restaurants en brique rouge, et où domine la vieille maison Ermatinger (1814) en pierre grise.

■ AGAWA CANYON ALGOMA CENTRAL RAILWAY

Le train de l'Agawa Canyon vous mènera vers une fascinante épopée ! Cette excursion est l'une des plus spectaculaires d'Amérique du Nord. Vous serez muet d'admiration devant le beau panorama exhibé.

■ LIEU HISTORIQUE NATIONAL DU CANAL DE SAULT-SAINTE-MARIE

Achevé en 1895, ce canal constituait le dernier chaînon d'un réseau de navigation entièrement canadien s'étendant du Saint-Laurent au lac Supérieur. Conçu et construit par des Canadiens, le canal intégrait plusieurs innovations techniques.

C'était la plus longue écluse du monde et la première à fonctionner à l'électricité. En outre, un barrage tournant de secours y protégeait l'écluse en cas d'accident. La centrale produisait de l'électricité sur place. Fermé en 1987 à cause d'une défaillance du bajoyer, le canal a été équipé d'une écluse moderne et ouvert en 1998 à la navigation de plaisance.

■ LIEU HISTORIQUE NATIONAL DU FORT SAINT-JOSEPH

Toujours aussi isolé et relativement intègre, le fort Saint-Joseph rappelle les liens commerciaux et militaires qui existaient entre les Britanniques et les Premières Nations de la région des Grands Lacs de l'ouest, de la fin de la guerre d'Indépendance jusqu'à la guerre de 1812. En plus du fort lui-même, le lieu historique comprend un ensemble remarquable de vestiges archéologiques qui, dans leur état non exploité, racontent en partie la vie complexe des militaires, des familles et des commerçants – autochtones et européens – qui ont habité ce poste frontalier éloigné.

Le Nord

Temagami

Pays de Grey Owl et toit de l'Ontario, Temagami offre une nature sauvage, à la frontière des basses terres laurentiennes et du Bouclier canadien.

Quelques parcs de la région

→ **Parc Kakabeka Falls.** Surnommées « les chutes Niagara du Nord », les chutes Kakabeka se jettent en bas d'une falaise de 40 m de hauteur et cachent des fossiles parmi les plus vieux au monde. Admirez le paysage en longeant à pied ou en ski de fond les plates-formes situées en bordure de la gorge. Suivez le parcours emprunté jadis par les voyageurs pour contourner les chutes de ce parc riche en histoire.

→ **Parc Lake Superior.** Du littoral accidenté du lac Supérieur, ce parc s'étend ensuite vers l'intérieur des terres et abrite des collines couvertes de brume et de profonds canyons dont la beauté exceptionnelle et les riches couleurs automnales ont inspiré les artistes du Groupe des Sept du Canada. Le sentier Coastal et une partie de la Highway 17 longent le littoral rocheux et accidenté du lac Supérieur à travers le parc, offrant des vues spectaculaires et directes de ces eaux bleues légendaires.

→ **Réserve naturelle Potholes.** Plus près de Wawa, dans la réserve naturelle Potholes, vous pouvez observer des dépressions rocheuses issues de l'ère glaciaire. Des sentiers d'interprétation vous expliquent ces phénomènes plus grands que nature.

→ **Parc Sleeping Giant.** L'extrémité sud de cette péninsule mythique située près de Thunder Bay possède une forme ressemblant étrangement à celle d'un géant allongé sur le dos. N'hésitez pas à chatouiller le géant en empruntant les sentiers qui vous mèneront vers des points de vue à couper le souffle. Profitez-en pour tenter de repérer les chevreuils, les orignaux et autres gros mammifères qui peuplent les vastes forêts du parc.

→ **Parc Wakami Lake.** C'est le parc le plus retiré, à 62 km à l'est de Chapleau. Ce parc, qui accueille les caravanes sans offrir d'électricité, suggère l'immensité d'un lac limpide, rempli de dorés, la location de canot et divers sites de promenade. S'y retrouve aussi l'un des plus longs sentiers de la province, avec ses 76 km.

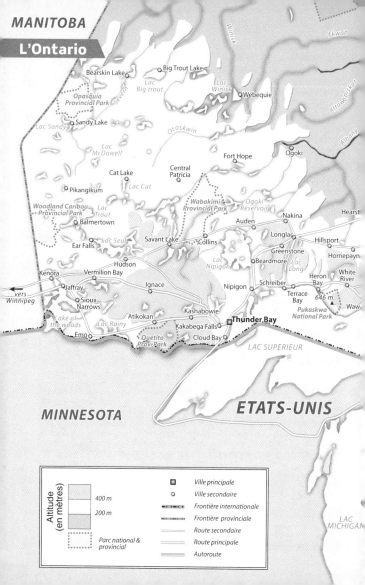

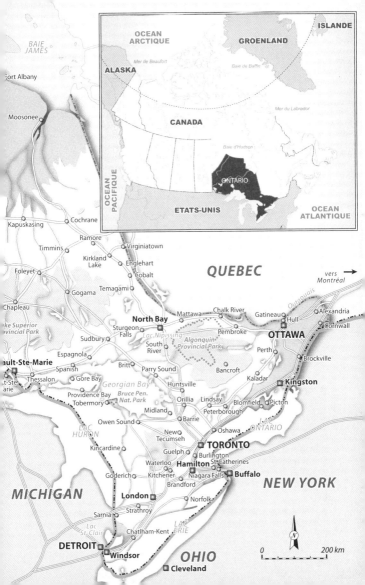

Au pied de l'Ishpatina, le Britannique Archibald Belaney, mieux connu sous le nom de Grey Owl, a adopté la culture autochtone et nourri sa passion de l'environnement, avant de devenir finalement un des fondateurs du mouvement écologique. C'était au début du XXᵉ siècle. Le lac Temagami peut plonger de 30 m à quelques mètres des berges. En plus de ses 1 200 îles, le lac offre 20 circuits de canotage à partir de la pointe Finlayson. L'arrière-pays fourmille de 2 600 km de voies de canotage, toutes plus sauvages les unes que les autres. Ce labyrinthe aquatique naturel apparaît comme un havre idéal.

Cobalt

En 1903, lorsque l'ouvrier Fred Larose aurait jeté son pic sur une mare d'argent, Cobalt était un territoire sauvage. Sept ans plus tard, 10 000 personnes résidaient dans une ville bricolée à la hâte. Vers 1930, 265 millions de dollars de ce métal avaient été extraits de 29 mines. Le développement de la région sera rapide, fébrile, désorganisé. En moins de 20 ans, la ville s'éteindra.

■ NORTHERN ONTARIO MINING MUSEUM

Visitez le musée d'Histoire minière de Cobalt qui préserve les belles années de cette ville au début du XXᵉ siècle lorsqu'on disait que « ses rues étaient pavées d'argent ». En partant du musée, le sentier Heritage Silver Trail trace le chemin des mineurs du début du siècle.

■ THE BUNKER MILITARY MUSEUM

Vous y trouverez des objets de la guerre des Boers et des deux Guerres mondiales en passant par la guerre de Corée

et l'opération Tempête du Désert en Irak : motocyclette, médailles, photos, uniformes, mannequins en parachute et autres artefacts. Il vous faut aussi aller fureter quelque temps à la bibliothèque militaire qui renferme plus de 2 000 livres et découpures de journaux.

Cochrane

Entre Cochrane et Hearst, les villages comptent une population francophone, de 65 à 95 %. Mais il ne s'agit pas de la seule caractéristique du territoire : sur 300 km, on croise 14 rivières. C'est le paradis du canotage, du kayak, du rafting, de la pêche, des visites en forêt et de la fête!

Le centre

Région sauvage par endroits, ingénieusement développée ailleurs, c'est le cœur de l'Ontario.

Sudbury

Ce coin de pays est devenu le centre névralgique de la francophonie ontarienne dans les années 1970. Le drapeau franco-ontarien y a d'ailleurs vu le jour en 1975. Littérature, théâtre, musique et drapeau y ont rayonné… et ça continue! Cette ville dynamique, au cœur du Nouvel-Ontario, s'impose comme troisième plus grand centre francophone hors Québec.

■ SCIENCE NORD

La plus importante attraction nord-ontarienne vous offre des expériences scientifiques divertissantes de qualité pour tous. Science Nord, c'est un centre de sciences, une salle de projection IMAX, d'excitants voyages virtuels, une galerie de papillons et des expositions passionnantes.

■ TERRE DYNAMIQUE

« Terre dynamique » est un centre de sciences intéractif qui vous offre un périple dans les profondeurs de la terre et diverses expériences souterraines. Visitez le nouveau théâtre numérique. Juste à côté d'une pièce géante de 5¢, les esprits inquisiteurs seront attirés comme des aimants au centre des sciences de la Terre.

■ JIM GORDON WALKWAY

Sudbury a longtemps vécu avec la lourde réputation de ville lunaire, la pollution ayant ravagé sa végétation. Ce n'est plus trop le cas actuellement. En effet, depuis la construction en 1972 de la supercheminée, la plus haute du monde avec ses 381 m, et le plan de réhabilitation des sols en place depuis 1978, la verdure reprend le dessus. Pour célébrer les arbres et l'environnement, un réseau de sentiers révèle un Sudbury renouvelé. La promenade du lac Ramsey longe sur 2 km le plus grand lac d'Amérique du Nord à se trouver dans les limites d'une ville. À certains points stratégiques des pistes dénivelées Oak Forest et Blueberry Hill, le regard embrasse soudain toute la région que mouille le lac Ramsey.

North Bay

La beauté de North Bay tient surtout de sa saine simplicité. Celle-ci s'exprime aussi dans la multitude d'activités artistiques et culturelles. Le Capitol Centre, ouvert depuis 1929, forme un noyau effervescent de culture, sans oublier les collections exemplaires de la galerie W.K.P. Kennedy. Sur scène, la Nipissing Stage Company égaie petits et grands, tandis que le North Bay Symphony en surprend plusieurs, qui n'espéraient pas entendre tant de musiciens chevronnés si loin des centres du sud.

Parc Algonquin

Le parc Algonquin compte plus de 770 000 hectares de forêts denses inhabitées, de lacs inaltérés, de gorges profondes et de plateaux impressionnants. C'est le royaume des ours, des loups, des orignaux et des chevreuils et un havre pour d'innombrables huards, castors et ratons laveurs. Le parc chevauche les limites des étendues de conifères au nord et des arbres à feuilles caduques au sud. La flore y est donc incroyablement diversifiée.

Barry's Bay

Barry's Bay est l'étape finale de l'Opeongo Line Tour, une route développée au XIXᵉ siècle pour permettre la colonisation entre les villages de Castleford et de Barry's Bay. Vous pouvez commencer ou finir votre tour juste à la sortie de la baie de Barry. Le départ du circuit se fait près du parc provincial du lac Carson (les panneaux indiquant le circuit linéaire Opeongo sont affichés). Allez vers l'est sur la Highway 60 en traversant la baie de Barry, tournez à droite sur la route de lac Yantha et suivez la petite route de campagne via Hopefield, Brudenell, Foymount, Cormac, Clontarf et Esmonde. Une fois arrivé à la Highway 41, prenez la direction sud sur la 132 et la direction est vers Dacre, le Shamrock et jusqu'à Renfrew. Dans Renfrew prenez la Route de Comté 20 nord vers le lac des Chats près de Castleford.

Haliburton

Haliburton est une région enclavée entre le parc Algonquin et Muskoka, parsemée de centres de villégiature, de chalets et de parcours de golf.

© YUKIKO YAMANOTE - ICONOTEC

Profitez d'une balade en motoneige pour découvrir l'un des nombreux parcs du centre de l'Ontario.

Haliburton Forest and Wild Life Reserve

Haliburton Forest & Wildlife Reserve, œuvre d'un visionnaire, vaut vraiment le détour. Été comme hiver, dans cette fantastique forêt, les amateurs de plein air sont servis: en canot ou en kayak, à pied, à vélo, sous l'eau (dans un véritable sous-marin)… La nuit venue, un observatoire équipé de puissants télescopes permet de contempler, dans un ciel sans aucune interférence lumineuse, la scintillante Voie lactée, les nébuleuses, les lointaines galaxies, les constellations…

Peterborough

Les parcs provinciaux ou communautaires bordent Peterborough de sentiers. Déambulez dans la ville en longeant le canal Trent ou la rivière Otonabee. Vous y croiserez divers musées, dont le musée canadien du Canot, qui vous plonge dans l'univers ancien et complexe de la fabrication de cette embarcation. Vous pouvez aussi explorer la région à vélo, en faisant des boucles urbaines ou en suivant les cours d'eau jusqu'aux Kawarthas et leurs jolies Fenelon Falls. Peterborough se situe au sud d'un réseau de 134 lacs et rivières nommés les Kawarthas. Vous trouverez le Lieu historique national du Canada de l'Écluse-Ascenseur de Peterborough. Vous pourrez y louer un bateau afin d'explorer la voie navigable du Trent-Severn et d'observer l'écluse hydraulique, bâtie en 1904, qui en met plein la vue en soulevant les bateaux de 21 m.

Petroglyphs

À 40 km au nord-est de Peterborough, s'impose le parc provincial Petroglyphs. Empreint de mystère, il nous renvoie en des temps immémoriaux dignes de Lascaux, ou presque ! En 1953, deux géologues, cherchant à percer l'énigme d'une rivière souterraine, découvrirent 900 illustrations relatant tous les aspects de la vie, une des plus grandes fresques de pétroglyphes en Amérique du Nord. Un tout nouveau centre d'interprétation vous éclaire sur l'aspect spirituel de ces ciselures.

La région de Muskoka

Depuis plus d'un siècle, les prestigieux complexes hôteliers, les doux villages et les sympathiques ports de plaisance de la région de Muskoka font vivre aux vacanciers une expérience touristique légendaire. La *dolce vita* en Ontario !

Gravenhurst

À Gravenhurst, vous pouvez admirer l'évolution du nautisme au Grace and Speed, Muskoka Boat and Heritage Centre. À bord d'un bateau à vapeur de trois étages, découvrez l'importance de la navigation pour la région mais visitez aussi ces merveilles de chêne et d'acajou, parfois construites dans les années 1920, et qui demeurent de propriété privée. Dans ce dédale d'eau et de routes campagnardes, les kayakistes et les cyclistes seront comblés. Les possibilités d'aventures en kayak et de tournées de cyclotourisme abondent.

Hunstville

Une ville de 18 000 âmes en plein cœur du centre de l'Ontario. Le centre historique est entouré de nombreuses zones rurales, totalisant 144 lacs. En raison de la proximité des parcs provinciaux d'Arrowhead et Algonquin, la ville est une étape obligatoire dans la région.

■ MUSKOKA HERITAGE PLACE

Les installations incluent un véritable village pionnier, un train à vapeur de 1902 en état de marche (The Portage Flyer), une exposition sur les premières nations, 2 musées, des animaux de fermes et des jardins, ainsi que des sentiers pédestres.

Windermere

Le village de Windermere est situé sur la rive Est du lac Rosseau. Ce petit village est représentatif des collectivités situées au bord des lacs, qui se sont établies dans la région à l'ère victorienne et qui sont devenues des centres touristiques très tôt. Windermere est une des collectivités les plus appréciées de l'Ontario.

Port Carling

Tandis que vous vous trouvez à Port Carling, ne manquez pas la murale du port, une mosaïque inouïe, faite de milliers de cartes postales datant de 1860 à nos jours. Voici toute l'histoire de Muskoka, image par image, rassemblée pour vous.

La baie géorgienne

Elle s'étire bien au-delà du regard, la baie Georgienne, joyau unique, perle rare. Plus de 30 000 îles, des plages interminables et des villages coquets.

Killarney

Officiellement établi en 1820 par des Français mais aujourd'hui bien anglais, le pittoresque village de Killarney est le plus vieux du nord de l'Ontario. Killarney est un lieu de rassemblement pour les mordus de la pêche, tout comme pour les propriétaires des plus beaux yachts des Grands Lacs. Baies divinement belles, eaux pures, fjords élancés, grèves enchantées, tout cela se conjugue parfaitement avec kayak de mer, à Killarney.

Parc provincial Killarney

Cette étendue, à la fois sauvage et majestueuse, a beaucoup fasciné les artistes du Groupe des Sept.

Ces peintres canadiens du début du XXe siècle ont convaincu le gouvernement d'en faire un parc. Celui-ci est aujourd'hui considéré comme la perle des parcs provinciaux de l'Ontario.

Parry Sound

Parry Sound jouit du littoral de la baie Georgienne, de la généreuse région de Muskoka et constitue le centre de la toute dernière zone canadienne à avoir reçu la distinction de réserve de la biosphère par l'Unesco.

Midland

Midland est un village portuaire.

■ HURONIA & OUENDAT VILLAGE

Vous ne pouvez visiter la Huronie sans consacrer de temps à la culture huronne. À Midland, Huronia & Ouendat Village livre un témoignage fidèle de la réalité huronne à l'époque de Champlain. Dans ce village minutieusement recréé, un musée et une galerie exposent le fécond et diversifié héritage amérindien.

■ MURALES DE MIDLAND

Le bureau d'information touristique de Midland offre une carte avec l'emplacement de chacune des murales, et une courte explication de leur signification. Ceux qui voient leur fibre artistique vibrer devant ces gigantesques tableaux voudront peut-être passer à l'action. L'école des arts visuels de la Huronie offre des ateliers, au fil de l'été, avec des peintres locaux à Midland.Sur la rue King, où sont peintes la majorité des œuvres, figurent des représentations de Sainte-Marie-au-pays-des-Hurons, du marais Wye, de publicités d'antan, de groupes communautaires et des scènes des premières décennies de Midland, avec ses moulins, son port, sa gare… D'une année à l'autre

les murales s'ajoutent, ajoutant de la couleur au centre-ville.

■ SAINTE-MARIE-AU-PAYS-DES-HURONS

Cette forteresse du XVIIe siècle était jadis le siège de la mission jésuite française en Huronie. C'était la résidence de 66 Français, soit du cinquième de la population de la Nouvelle-France. Sainte-Marie a été recréée sur son site original. Site d'importance nationale, Sainte-Marie-au-pays-des-Hurons à Midland consiste en 25 bâtiments historiques, un musée récipiendaire de prix d'excellence et une prestation théâtrale avec des personnages en habits d'époque. Des figurants présentent les coutumes et habiletés des pionniers.

Penetanguishene

Poste de traite de fourrure d'abord, puis terre d'accueil des militaires anglais au début du XIXe siècle par la suite, cette petite ville est marquée par son passé militaire et naval. De nos jours à Penetanguishene, avec ses statues et l'église Sainte-Anne, vous pouvez y faire une balade pour le moins agréable et profiter de la beauté du paysage naturel.

■ HAVRE DE LA DÉCOUVERTE

Remontez jusqu'au XIXe siècle sur les quais de ce qui fut la base navale et militaire britannique de Penetanguishene. Le Havre de la découverte est le principal site marin culturel de l'Ontario. Le personnel costumé incarne ceux qui y ont vécu et travaillé il y a 200 ans.

■ PARC PROVINCIAL AWENDA-PENETANGUISHENE

Le parc Aweda renferme de nombreux témoins de la dernière ère glaciaire parmi lesquels figure la falaise Nipissing haute de 60 m. En face de celle-ci se trouve l'île Giant's Tomb où, dit-on, repose l'esprit de Kitchikewana. Vous trouverez également de nombreuses plages et un réseau de sentiers qui vous permettra de découvrir des espèces végétales rares et plus de 198 espèces d'oiseaux.

Wasaga Beach

Avec ses 14 km, la rive d'eau douce de Wasaga Beach est la plus longue du monde. S'y succèdent en enfilade des concours de châteaux de sable, des compétitions de volley-ball, une exposition de voitures historiques, un festival de cerfs-volants et des soirées de feux d'artifice. Vous pourrez vous reposer en vous rendant au Parc provincial Wasaga Beach et en profitant de sa longue plage sablonneuse et de ses sentiers de randonnée.

Collingwood

■ SCENIC CAVES

Contemplez le rocher Ekarenniondi, lieu où Oscotarach effaçait la mémoire de ceux qui entraient dans l'autre monde… Descendez sous terre, dans un labyrinthe de grottes et de crevasses qui ont servi d'abri et de forteresse durant la guerre entre les Pétuns et les Iroquois. À la surface, une excursion des plus originales vous attend. Vous traverserez un étroit pont suspendu au-dessus de la forêt et vous monterez le long de chênes vieux de 200 ans pour ensuite vous déplacerez, de cime en cime, sur plus de 200 m. Les plus braves peuvent, de là-haut, contempler un panorama de plus de 10 000 km² !

Barrie

Situé à moins d'une heure de Toronto, de la baie Georgienne et des rives du lac Huron, Barrie, sise sur les berges du lac Simcoe, est idéalement placée pour visiter la région.

■ MCLAREN ART CENTRE

Un des lieux d'art les plus en vue du pays, avec son titre de septième musée d'art en importance au Canada. Cette ancienne bibliothèque municipale, construite en 1917, a été inaugurée sous la bannière du McLaren Art Centre en 2001. Le musée avait alors une quinzaine d'années. La collection est évaluée aujourd'hui à 25 millions de dollars.

■ PARC PROVINCIAL MCRAE POINT

Que ce soit pour la baignade, la navigation de plaisance, la pêche ou la randonnée au milieu d'une forêt de feuillus ce parc provincial enchante les visiteurs à la recherche d'activités de plein air simples et agréables.

Orillia

Orillia offre un parfait pied-à-terre pour ceux qui souhaitent visiter la région.

■ LEACOCK MUSEUM

Le musée Leacock met en avant-scène une tranche de culture canadienne-anglaise. Stephen Leacock, professeur de sciences politiques à l'université McGill de Montréal au tout début du XXᵉ siècle, passait ses étés dans une pointe définissant la baie Old Brewery (ancienne brasserie), où il écrivait biographies, essais politiques et économiques et nouvelles teintées d'absurde. Partout à Orillia, on sent l'effet Leacock dont le plus grand succès littéraire *Un été à Mariposa*, en version originale *Sunshine Sketches of a Little Town*, est bien connu au Canada, aux États-Unis et en Angleterre.

■ ORILLIA MUSEUM OF ART AND HISTORY

Situé dans l'édifice historique Sir Sam Steele, au cœur du centre-ville d'Orillia, le OMAH présente des expositions d'art et d'histoire d'importance à la fois régionale et nationale. Visites de l'édifice offertes, fascination assurée.

■ CASINO RAMA

Sur les rives est du lac Simcoe, le Casino Rama emploie 700 autochtones, ce qui en fait le plus important employeur amérindien du Canada. Première maison de jeu gérée par des autochtones en Ontario, elle a donné un nouveau souffle à la réserve. Les recettes ont permis la construction d'une école, d'une bibliothèque mais aussi d'une caserne.

Tobermory

■ PARC NATIONAL DE LA PÉNINSULE-BRUCE

Le parc national Péninsule-Bruce, aujourd'hui sur la terre ferme, présenterait, s'il était encore sous l'eau, un environnement aquatique semblable aux récifs de la Grande Barrière d'Australie… On y trouve plutôt une roche calcaire à forte concentration de magnésium. En somme, le paysage se révèle à la fois différent et spectaculaire. Falaises massives, pins séculaires, nombreuses orchidées et eaux cristallines font partie d'un patrimoine naturel sans pareil. Avec ses 872 espèces végétales, dont 34 orchidées, et de superbes essences d'arbres, le parc Péninsule-Bruce est fabuleux. Sept sentiers constituent le réseau de randonnée pédestre, pour un total de 50 km. Dans le secteur Bruce Caves, cinq grottes se révèlent au fil du sentier facile de 1 km. Les randonnées

difficiles sont nombreuses, néanmoins courtes, et valent les points de vue spectaculaires. Jones Bluff forme une boucle de 7 km faisant le tour d'un immense promontoire, d'où pas moins de cinq belvédères vous feront apprécier davantage cette charmante région. Lion's Head divulgue d'étonnantes formations rocheuses.

L'île Manitoulin

Passionné de culture amérindienne, préparez-vous à vivre une expérience autochtone authentique. Située à la frontière du lac Huron, elle est considérée comme la plus grande île d'eau douce au monde, avec 180 km de long et 50 km de large. Le nom Manitoulin vient d'un mot amérindien qui signifie « île des esprits ». C'est un lieu sacré pour les peuples autochtones. Les recherches archéologiques ont permis d'établir que l'île a accueilli ses premiers habitants il y a environ 9 000 ans. Les premiers colons européens sont arrivés sur l'île vers 1600.

Les rives du lac Huron

Sauble Beach

Des explorateurs français l'avaient baptisée… La plage, la rivière, les chutes et le lac aux Sables les avaient fascinés. Avec le temps, leur nom s'est anglicisé, pour devenir Sauble. Depuis, la deuxième plus longue plage d'eau douce au monde après la plage Wasaga est courue. On dit de Sauble Beach qu'elle est l'une des 10 plus belles plages du Canada.

Southampton

Parmi les oasis que vous croiserez, Southampton offre une jolie promenade scrutant un horizon aquatique, avec d'élégants bateaux et des couchers de soleil imprenables.

■ BRUCE COUNTY MUSEUM & CULTURAL CENTRE

Le musée du comté de Bruce et son centre culturel offrent une expérience inoubliable de l'histoire millénaire des différents peuples ayant habité la région. De nombreux objets sont exposés. Vous pouvez également visionner un film présentant le comté de Bruce.

■ LIGHTHOUSE PHOTO GALLERY

Ouverte depuis 1999, cette galerie présente le travail de la célèbre photographe ontarienne Carol Norris. Les tableaux de l'artiste présentent les paysages de la région et sont un hommage à la beauté des mers d'eau douce de l'Ontario.

Port Elgin

Port Elgin est un autre village vacancier donnant sur le lac Huron. Il possède des eaux calmes, idéales pour la famille. Ce lieu de villégiature propose deux manifestations annuelles aux couleurs locales : le festival Huron Fringe Birding (fin mai – début juin) permet aux vacanciers de s'initier à l'ornithologie en participant à des randonnées et à des présentations ; le Canadian Celebration Big Band anime le village de ses concerts de musique typiquement canadienne.

Kincardine

Cette charmante station balnéaire représente un endroit idéal pour relaxer et profiter des belles journées ensoleillées de l'été. Les installations sont confortables et la marina est très appréciée des touristes. Le village offre l'un des secrets les mieux gardés parmi les parcs d'Ontario, le Inverhuron Provincial Park qui ravira les vacanciers de sa plage et de ses dunes de sable magnifiques.

Goderich

Connaître Goderich, c'est vouloir y emménager. Récipiendaire de nombreux prix de développement touristique, cette perle est un minicentre de villégiature tout naturellement envoûtant. Son aménagement hors du commun, l'architecture de ses bâtiments, l'amabilité de ses résidents, ses innombrables plages (reliées entre elles par une promenade en bois), ses restaurants pour fins gourmets, ses nombreuses boutiques, les mille et une activités environnantes… Tout cela fait de ce village de 7 500 âmes une destination incontournable.

■ HURON COUNTY MUSEUM

L'exposition permanente du musée traite du développement le long du lac Huron. L'édifice en brique rouge est élégant et vaut à lui seul le déplacement.

■ HURON HISTORICAL GAOL

Ce bâtiment de forme octogonale est imposant. Ancienne prison de la région de 1842 jusqu'en 1972. La maison du Gouverneur a été construite en 1901 dans les cours de ce bâtiment. La visite permet aux touristes d'explorer le passé de cette région de la province.

■ HURON MARINE MUSEUM

Ce petit musée dresse le portrait de ces hommes et femmes qui ont fait leur vie sur les rives du lac Huron. Tout en visitant le Musée marin, les visiteurs auront le plaisir de contempler les beaux bateaux qui viennent du monde entier remplir leurs cargos des grains de sel renommés de la région.

VISITE

L'Ontario

Les trois plages publiques avoisinantes sont les lieux idéaux pour prendre une petite pause.

Sarnia-Lambton

Des parcs provinciaux aux activités nautiques, le séjour au bord de ses plages est mémorable. La ville de Sarnia propose également des festivals intéressants.

■ PINERY PROVINCIAL PARK

Véritable mur de sable, les dunes de Pinery, hautes de plus de 30 m, caractérisent le paysage du parc provincial du même nom. De gigantesques chênes trônent au-dessus d'une savane féconde, restes d'une végétation qui couvrait autrefois des millions d'hectares. Victime d'un siècle de progrès, elle se fait aujourd'hui plus rare que la forêt pluviale. La faune foisonnante qu'elle abrite est tout aussi inusitée que remarquable. Une plage peu profonde et longue de 10 km à proximité du terrain de camping du parc assure aux voyageurs fatigués un maximum de soleil pour un minimum d'efforts.

■ STONES'N BONES MUSEUM

Le musée expose de nombreux os et fossiles retraçant l'histoire préhistorique des environs.

Le Sud-Ouest

Encerclée par les lacs Érié et Huron, cette contrée du Sud-Ouest nous enivre.

London

Centre important de la culture iroquoise canadienne, la petite ville de London vous permettra de vous familiariser avec cette culture amérindienne qui fascine tant les Français. Avec son air définitivement *british* et l'empreinte de la culture iroquoise, London est un bel exemple d'harmonie entre autochtones et Canadiens blancs. Fruits de l'immigration européenne, ses cathédrales néoromanes et bâtiments en pierre ronde lui donnent des allures du Vieux-continent. Situé au cœur d'une région agricole, London est aujourd'hui un centre industriel important en Ontario, mais elle est également un centre de recherche médicale reconnu mondialement.

■ ELDON HOUSE

La famille Harris se fait construire cette demeure en 1834. Elle est considérée comme la première maison privée de London. Elle est aujourd'hui ouverte au public qui peut venir visiter cette demeure dans son décor original du XIXe siècle. Les meubles et autres éléments de décoration sont parfaitement conservés pour le plus grand bonheur des amateurs d'antiquités.

■ MUSEUM OF ONTARIO ARCHEOLOGY

Ce musée renferme de l'information intéressante sur les fouilles archéologiques qui ont permis d'attester la présence du peuple amérindien sur le sol canadien depuis plus de 10 000 ans. On y raconte en détail l'histoire de cette nation. Une attention particulière est portée à la description du mode de vie et aux traditions des premières nations canadiennes. À l'extérieur du musée, un village iroquois est reconstitué pour le plus grand plaisir des visiteurs européens friands de ce genre d'expérience culturelle.

■ SKA-NAH-DOHT IROQUOIAN VILLAGE & MUSEUM

Pour tous ceux qui s'intéressent à l'art et à la culture amérindienne, ce village vaut le détour.

Vous aurez l'occasion d'enrichir vos connaissances sur le style de vie du peuple iroquois durant les mille dernières années. Le musée expose des objets millénaires selon la société d'archéologie de l'Ontario.

Stratford

Cette accueillante ville campagnarde de 30 000 habitants, à l'allure on ne peut plus britannique, s'impose comme centre de théâtre de répertoire classique le plus reconnu en Amérique du Nord. En 1953, craignant le déclin de sa ville ferroviaire, Tom Patterson propose la création d'un festival consacré à Shakespeare. Aujourd'hui, plus d'un demi-million de spectateurs assistent au festival de Stratford à tous les ans. Outre le théâtre, les résidants de Stratford ont fait de l'art un mode de vie. De la courtepointe au récital, entre une salle de spectacle et un parc, la création s'exprime en permanence.

■ STRATFORD PERTH MUSEUM

Un musée attractif qui combine histoire et éducation. Le jour de la Saint-Patrick le musée s'anime sur les sons de la musique irlandaise.

Saint-Jacobs

À l'ouest de Toronto, dans la belle région de Kitchener-Waterloo, ce village mennonite perpétue le passé. Les mennonites s'y déplacent encore en carriole et restent fidèles à leur sévère tenue sombre. Ils ont sciemment décidé de vivre selon les traditions et les valeurs du début du XIXᵉ siècle. Leurs magnifiques fermes, le long des chemins des environs, sont des modèles d'efficacité. Si vous avez le cœur agricole, ne manquez surtout pas d'aller explorer la campagne du coin.

Le School Bus... si typique !

■ THE MEMONITE STORY VISITOR CENTER

Le centre raconte l'histoire des mennonites du village de St-Jacobs. Une communauté religieuse fervente dont les membres vivent encore aujourd'hui à la manière de leurs ancêtres, refusant le style de vie du monde moderne. Habillés tout en noir, ils mènent une vie simple dans des régions rurales. Films, exposition de photos attendent les visiteurs. Fascinés par ses communautés qui refusent de se laisser embarquer par le flux de la modernisation, les visiteurs auront l'occasion de voir cette culture de près et de mieux comprendre la foi mennonite.

La rive du lac Érié

Le grand Windsor

Windsor est la ville la plus méridionale du Canada.

Située en bordure de la rivière Détroit à l'extrême sud-ouest de la province de l'Ontario, elle compte plus de 200 000 habitants. Nichée dans la riche péninsule agricole située entre les lacs Érié et Sainte-Claire, elle est la porte d'entrée de millions de visiteurs au pays.

■ THE WINDSOR WOOD CARVING MUSEUM

Seul musée dédié à l'histoire du découpage du bois en Ontario, une grande pièce présente de nombreux objets et outils. Une boutique de cadeaux est également accessible pour les visiteurs à la recherche d'idées originales.

■ WINDSOR'S COMMUNITY MUSEUM

Logée dans la plus ancienne maison de Windsor, le musée raconte l'histoire de la région et de ses habitants, des premières nations aux premiers colons français et britanniques en passant par les immigrés d'autres cultures.

Amherstburg

L'histoire riche de ce petit village, son passé militaire, sa mosaïque ethnique et son développement économique le long de la rivière Détroit font de ce lieu une escapade culturelle des plus intéressantes.

■ LIEU HISTORIQUE NATIONAL DU CANADA DU FORT MALDEN

Ce fort a été construit en 1796 pour protéger le pays lors de la guerre de 1812 et la rébellion de 1837 qui opposaient le Canada aux États-Unis.

■ THE NORTH AMERICAN BLACK HISTORICAL MUSEUM

Le musée historique des Noirs américains préserve l'héritage de cette tranche de la population nord-américaine. Le musée expose l'évolution de cette population de leurs origines africaines jusqu'à la société occidentale actuelle où les Noirs américains ont une place fondamentale. Les expositions portent sur le chemin de fer souterrain, le règlement noir canadien et les accomplissements des peuples d'origines africaines.

L'île Pelée

Juste au sud de la pointe, cette île est le point le plus au sud du Canada. Le climat s'y avère tout aussi agréable qu'en Californie. Dès les années 1860, les vignobles y lancent la production commerciale de vin, ce qui leur confère le statut de plus anciens cépages du pays. Le charme de cette île, qui compte 275 résidents permanents, passe aussi par son rythme, qu'on peut illustrer par l'absence de banque et de guichet automatique. Le tour de l'île mène des ruines du premier vignoble du Canada au port de pêche, puis dans les marais.

■ POINTE-PELÉE

Deux parcs nationaux fascineront les férus de plein air : le parc provincial Wheatley et le parc provincial Rondeau, où les amoureux de la nature pourront observer un écosystème d'une richesse phénoménale et auront peut-être la chance d'apercevoir un opossum, seul marsupial canadien.

■ PELÉE ISLAND WINERY PAVILION

Contrée viticole commerciale la plus ancienne du pays, l'île Pelée compte les premiers vignobles du pays établis il y a plus d'un siècle. Lorsque vous serez sur l'île, une visite au Pelee Island Winery's Wine Pavilion s'impose. Vous y dégusterez des crus célèbres en profitant de la beauté des lieux.

PARC NATIONAL DU CANADA DE LA POINTE-PELÉE

Cette région, qui couvre à peine 0,25% de la superficie du Canada, recèle la plus grande diversité d'arbres, d'insectes, d'amphibiens, de reptiles et d'oiseaux de tout le pays. Les terres de la Pointe-Pelée profitent du climat le plus chaud et de la plus longue période sans gel de tout le pays. Bien qu'il s'agisse d'un des plus petits parcs nationaux du Canada, c'est un géant de la faune et de la flore nord-américaine, reconnu dans le monde entier. Au printemps et à l'automne, le ciel se couvre de millions d'oiseaux migrateurs. Tout ornithologue sérieux doit y faire un pèlerinage. Que dire des papillons monarques : on les compte par millions !

Long Point

Cette longue pointe de terre qui pénètre dans les eaux du lac est l'endroit rêvé pour la flore du Sud-Ouest qui y pousse en abondance. Elle est également le lieu de rendez-vous de nombreux oiseaux migrateurs. Un site naturel de toute beauté qui vaut le déplacement.

LONG POINT PROVINCIAL PARK

Conféré par l'Unesco, il offre 32 km de plage et de chenaux et ravira les amateurs de nature qui pourront observer tortues et autres reptiles, amphibiens et oiseaux migrateurs. En automne et au printemps le parc est le point d'escale pour les oiseaux migrateurs.

Port Dover

Capitale mondiale des pêcheries en eau douce, Port Dover était autrefois connue sous le nom de Dover Mills. Incendiée lors de la guerre de 1812, Port Dover renaît de ses cendres, cette fois-ci plus près du lac, pour devenir un haut lieu de pêche. Quel meilleur endroit pour déguster du poisson frais, le soir, sur la plage. De nombreux restaurants sont ouverts tout au long de l'année. Le musée de la ville expose des objets qui fascineront les amateurs de pêche et les amoureux du monde marin.

La péninsule de Niagara

Cette magnifique région est reconnue mondialement pour ses chutes, mais également pour son terroir que l'on découvre dans chacun de ses pittoresques villages.

Niagara Falls

Que dire qui n'a déjà été dit… ? Une chose est sûre, elles impressionnent même les plus blasés, et ce n'est pas un hasard si Hitchcock est passé par-là. À noter, la frontière américaine, tout près du centre, qui vous donnera accès à une vue différente (moins impressionnante, mais tout de même…) des chutes. Malgré ses chutes, la rivière Niagara constituait un lieu stratégique, marquant la frontière entre le Canada et les États-Unis. Pendant la guerre de 1812, opposant les États-Unis à l'Empire britannique, plusieurs batailles s'y sont déroulées. Deux forts rappellent ces événements : Fort George et Fort Mississauga, deux endroits-clés dans l'indépendance canadienne.

CINÉMA IMAX DE NIAGARA FALLS

En collaboration avec le célébrissime *National Geographic*, *IMAX Niagara* vous colle le nez aux chutes ! Le film de 47 minutes présente l'histoire rattachée aux chutes.

Les chutes du Niagara.

Des Amérindiens aux casse-cou du début du XXᵉ siècle, en passant par les explorateurs qui restèrent bouche bée devant cette merveille de la nature et les malchanceux.

■ FORT ERIE

Construit à la fin du XVIIIᵉ siècle, ce fort n'était pas terminé lorsque les États-Unis ont déclaré la guerre au Canada le 18 juin 1812. Partiellement détruit avec le temps, il a été entièrement restauré. Aujourd'hui il offre, sous les yeux ébahis des amateurs d'histoire, la plus importante reconstitution des événements de 1812 au Canada. Les combats sont saisissants et rappellent les épisodes de 1814, qui ont fait du vieux fort Erie le champ de bataille le plus sanglant au Canada.

■ JOURNEY BEHIND THE FALLS

L'ascenseur conduit à des couloirs humides où résonnent les eaux rugissantes des chutes. Tout près d'elles s'ébroue une ribambelle de petits ponchos jaunes. Douche assurée !

■ MAID OF THE MIST

Ces bateaux, presque aussi célèbres que les Chutes, vous permettent de vous en approcher, protégés cette fois par des ponchos bleus. Certains retirent leurs chaussures, on les comprend. L'excursion durera environ 30 minutes. Le bateau vous amène devant les chutes américaines et dans le bassin des chutes canadiennes.

■ TOUR SKYLON

Grimpez au sommet de la tour Skylone et admirez la vue des Chutes qui s'offre à vous tel un tableau insaisissable. Si vous êtes prêt à payer un peu plus, profitez de la vue en dégustant la cuisine fine du restaurant du Skylone.

Niagara-on-the-Lake

Première capitale de l'Ontario (1791-1796), cette petite ville garde son cachet d'antan. On peut très aisément découvrir à pied ou à vélo cette illustre petite ville remplie d'histoire et d'attraits modernes. On ne la surnomme pas la « plus jolie ville du Canada » pour rien ! Comptant plus de 400 gîtes, près de 50 vignobles et autant de fermes où vous pouvez cueillir une surabondance de fruits, cette région au nord des Chutes est pour le moins grisante.

■ MCFARLAND HOUSE

Cette demeure historique a été la maison de John McFarland et de sa famille pour une période de 150 ans. Pendant plus de deux siècles, La maison de McFarland a été l'emblème du savoir-vivre et du bon goût qui définit la belle petite ville de Niagara-on-the-Lake. Venez explorer cette demeure au style géorgien et transportez-vous un instant en 1840.

■ NIAGARA HISTORICAL SOCIETY MUSEUM

Fondé en 1895 dans le but d'encourager l'étude de l'histoire canadienne et de favoriser la collection et la préservation des registres et reliques, il abrite aujourd'hui la plus importante collection de l'histoire de la péninsule. La collection des costumes et armes militaires de l'époque est impressionnante.

■ NIAGARA APOTHECARY MUSEUM

Une charmante petite pharmacie datant de la fin du XIXe siècle. Tout a été préservé à l'état original par le collège des pharmaciens de l'Ontario. Une petite visite s'impose dans ce lieu pour le moins étonnant.

La route des vins

Partez à la découverte des vignobles de Niagara et passez quelques journées dans un décor merveilleux, dans lequel dégustations de vins et visites guidées des installations viticoles se succèdent. La viticulture est à la fois une science et un art. On y explique toutes les étapes de fabrication du vin, depuis le terroir où pousse la vigne jusqu'au bouchon qui scelle la bouteille. Certains sont passés maîtres de cet art. Château des Charmes, Inniskillin, Peller, Jackson-Triggs ne constituent que la pointe de l'iceberg. Découvrez aussi les secrets des fameux vins de glace, dans la plus grande et la plus prestigieuse région productrice. Ce vin sucré est produit à partir de raisins cueillis congelés, en janvier. On le surnomme « or liquide » ou « vin-dessert », ce Vin de glace, tant prisé par les pays asiatiques comme la Chine et le Japon.

Toronto

Avec ses gratte-ciel qui regardent de haut le reste du monde, Toronto a un goût de l'Amérique. Élégante et affairée, la ville ne se soumet pas facilement aux règles de la villégiature.

© YUKIKO YAMAMOTE - ICONOTEC

Niagara-on-the-Lake en automne.

VISITE

L'Ontario

Toronto

WEST ET NORTH TORONTO

**UNIVERSITY OF TORONTO,
YORKVILLE ET THE ANNEX**

**CHINATOWN, KENSINGTON MARKET
ET DOWNTOWN OUEST**

Kensington Market

Fort York National Historic Site

Street names:
Arlington Av, Winnett Av, Maplewood Av, Vaughan Rd, Pinewood Av, Wychwood Av, Heath St W, Warner Rd, St Clair West, Lynwood Av, Balmoral Av, Farnham Av, Woodlawn Av W, Sir Winston Churchill Park, Clarendon Av, Russel Hill Rd, Roycroft Park, Alcom Av, Birch Av, Cottingham St, Macpherson Av, Roxborough St, Davenport Rd, Hazelton Av

Humewood Park, St Clair Av W, Greensides Av, Winona Dr, Ellsworth Av, Hocken Av, Helena Av, Alcina Av, Christie St, Benson Av, Tyrell Av, Turner Av, Alberta Dr, Somerset Av, Geary Av

Dupont St, Dupont, Howland Av, Albany Av, Vermont Av, Vermont Square, Olive Av, Follis Av, Walmer Rd, Bathurst St, Spadina Rd, Huron St, Madison Av, St George Rd, Admiral Rd, Elgin Av, Lowther Av, St George, Bloor St, Royal Ontario Museum, Bata Shoe Museum, Museum, Hoskin St

Melville Av, Yarmouth Rd, Garnet Av, Essex St, Pendrith St, Barton Av, Shaw St, Crawford St, Christie Pits Park, Clinton St, Euclid Av, Manning Av, London St, Markham St, Palmerston Blvd, Spadina, Bathurst, Christie, Ossington, Roxton Rd, Bickford Park, Harbord St, Concord Av, Delaware Av, Dovercourt Rd, Havelock St, Rusholme Rd, Dufferin Grove Park, Oxford St, Nassau St, Augusta Av, Borden St, Croft St, Lippincott St, Major St, Robert St, Brunswick Av, Alexandra Park, College St, St Annes Rd, Fred Hamilton Park, Montrose Street, Grace Street, Harrison St, Dundas St W, Dufferin St, Argyle St, Lisgar St, Northcote Av, Fennings St, Crawford Street, Trinity Bellwoods Park, Givins St, Massey St, Noble St, Queen St W, Sudbury St, Shank St, Crawford St, Dauro St, Wellington St W, Niagara St, Stanley Park, Victoria Memorial Park, Spadina Av, Fort York Blvd, Melbourne Av

Industrielle et financière, vite montée en graine, forte de ses 5,1 millions d'habitants intra-muros et dans les environs, la plus grande ville du Canada héberge 14 % de la population. Le soir, Toronto se décontracte et, comme sa rivale Montréal, multiplie les occasions de sortie. Au sein d'une myriade de villages aux accents venus du monde entier, s'offrent les façades polies des gratte-ciel, les insolites murs peints, spécialité de la ville, et les nombreux parcs à la végétation luxuriante.

■ ART GALLERY OF ONTARIO (AGO)

Sa galerie vitrée très réussie réunit la partie ancienne du bâtiment, The Grange, à des ajouts récents (30 galeries nouvelles). Le Centre Henry Moore compte plus de 600 pièces et constitue le plus important fonds Moore au monde.

■ CASA LOMA

C'est la maison de la démesure, rêvée par sir Henry, un richissime entrepreneur fasciné par l'architecture médiévale. 300 ouvriers travaillèrent pendant 3 ans à la construction de cette demeure de 98 pièces (dont 15 salles de bains). Ses propriétaires y ont même vécu dix ans, avant d'être ruinés! Cette incroyable demeure ébahira les amateurs d'architecture. Un tunnel long de 244 m mène à une écurie qui, avec ses hautes tours de pierre et les stalles de chevaux construites en acajou, en a certainement fait pâlir d'envie plus d'un.

■ METRO TORONTO ZOO

Au cœur de la ville se trouve le dépaysant Jardin zoologique de Toronto. Le zoo héberge 4 000 animaux, exotiques ou canadiens. Les animaux qui y séjournent représentent six régions géographiques du globe. Un monorail, une navette Zoomobile et, en hiver, des pistes de ski de fond permettent d'arpenter les 287 hectares de ce parc.

■ MUSÉE MCMICHAEL

Perdu dans la forêt, le McMichael est dédié à l'art canadien, plus spécifiquement au Groupe des Sept et aux artistes qui les ont suivis. Bien que situé à plusieurs kilomètres au nord de Toronto (45 minutes en bus), il mérite ce détour.

■ MUSÉE ROYAL DE L'ONTARIO (ROM)

Le ROM est le plus grand musée du Canada. Multidisciplinaire, il attire un large public séduit par l'éclectisme et le raffinement des expositions. Célèbre par ses collections d'antiquités chinoises et son tombeau des Ming, le Musée royal de l'Ontario propose un tour du monde de l'art et des civilisations, dans un cadre agréable. Deux salles dédiées à l'Égypte ancienne et à la Nubie élargissent, depuis peu, son champ d'intérêt. S'y ajoute une dimension interstellaire apportée par son colocataire, le planétarium McLaughlin. Un incontournable.

■ ONTARIO LEGISLATIVE BUILDING

Achevé en 1892, il abrite une galerie de portraits qui conduit à la Chambre où siègent 130 députés. Il est possible d'assister aux séances.

■ ONTARIO PLACE

Édifié sur trois îles artificielles au moyen de pilotis d'acier, ce complexe récréatif futuriste de 39 hectares est en passe de devenir un *must* de distraction technologique. La salle de cinéma Imax vaut à elle seule la visite.

Vue sur Toronto et l'une des figures emblématiques de la ville : la CN Tower.

Match de football américain au Rogers Centre à Toronto.

Une grande diversité architecturale anime la ville de Toronto.

Gratte-ciel en automne.

Ancien hôtel de ville de Toronto.

Buildings à Toronto.

Vue aérienne de Toronto.

ONTARIO SCIENCE CENTER

La formule du musée interactif où l'on apprend en s'amusant trouve ici une illustration de qualité. On peut manipuler, expérimenter, etc. L'architecture de l'endroit vaut, à elle seule, que vous emmeniez vos enfants se faire dresser les cheveux sur la tête par l'électricité statique. Avec des centaines d'activités interactives, des démonstrations in vivo assistées d'experts, des ateliers étonnants et de saisissantes présentations vidéo, des labyrinthes aquatiques extérieurs, il n'y a pas de meilleure façon de piquer la curiosité et de susciter l'épanouissement culturel et scientifique des visiteurs.

THE BATA SHOE MUSEUM

Avant d'entrer dans un tel musée, on n'imagine pas à quel point l'histoire de la chaussure peut être passionnante. Vous y verrez des exemples incroyables de chaussures en cheveux humains, en bois, en patte d'ours. Et si le musée porte le nom de cette marque mondialement connue, c'est tout simplement parce que la famille Bata, qui habite la ville depuis de nombreuses années, en est la fondatrice et la propriétaire.

CN TOWER

Plus haute que la tour Eiffel (553 m contre 321 m), la CN Tower est une des figures emblématiques de la ville. Elle offre un vaste panorama, et marcher sur un plancher transparent à plus de 500 m d'altitude est une expérience saisissante.

NEW CITY HALL

L'architecture en miroir du bâtiment lui vaut sa notoriété. En hiver, les habitants se plaisent à patiner sur les bassins gelés, enjambés par les Arches de la Liberté. À la droite de cet édifice moderne, coincé entre le nouvel Eaton Center et l'hôtel Marriott, le vieil hôtel de ville avec son toit de cuivre fait encore bonne figure. Non loin de là, sur University Avenue, Canada Life Building se distingue de tous les autres bâtiments par la sorte de tour Eiffel qui le surplombe. Son illumination varie selon les changements de température.

OLD CITY HALL

L'architecture de style néoroman au Canada lui vaut sa notoriété. Cet édifice aux couleurs chaudes a été dessiné par le célèbre architecte E.J. Lennox en 1889. Ce bâtiment abritait autrefois l'hôtel de ville de Toronto, aujourd'hui il se consacre à sa fonction de palais de justice. La visite du bâtiment est gratuite et mérite le détour. On aime le vitrail situé au cœur de l'édifice.

ROGERS CENTRE

Toute l'originalité de ce complexe sportif réside dans son toit entièrement rétractable sous lequel évolue l'équipe de base-ball locale, les Blue Jays, et celle de la ligue canadienne de football, les Argonauts.

ROY THOMSON HALL

Ce complexe dédié à la musique et à la danse a été dessiné par l'architecte canadien Arthur Erickson, et ressemble à une tour aplatie. Son voisinage est malheureusement enlaidi par les couleurs criardes des bâtiments de Radio Canada.

HYDE PARK

Comme à Londres, c'est le plus grand parc de la ville. Les bus et le métro y conduisent les amateurs de promenades et les sportifs en tout genre. Chaque été on y organise un festival Shakespeare.

■ QUEEN'S PARK

Au cœur de la ville, Queen's Park est surtout apprécié par les écureuils… et les amateurs de sieste, à l'ombre d'une statue équestre du roi Édouard VII.

■ TORONTO ISLANDS PARK

Lieu de balade, de jeux pour les enfants et de résidence pour quelques chanceux, l'île repose de l'agitation de la ville tout en la montrant sous son meilleur profil. Son autre versant embrasse le lac Ontario dans toute son immensité.

■ FALAISES DE SCARBOUROUGH

Elles s'étendent sur 15 km et nécessitent une certaine prudence si vous êtes sujet au vertige : elles présentent un à-pic de 55 m.

Les environs de Toronto

Les environs directs de la ville offrent l'opportunité de petites escapades pour découvrir les beautés de la région. Sous leurs airs industriels, Hamilton et Burlington constituent un passage obligé pour ceux qui veulent se rendre à Niagara. Aussi bien profiter d'un arrêt pour mettre vos sens à l'épreuve. Vrai, vous trouverez, dans la région, de jolies pistes cyclables, des centres nautiques et des jardins botaniques qui valent bien une pause.

■ CENTRE MARIN DE DÉCOUVERTES DU CANADA – DISCOVERY CENTER

Il s'agit d'un centre de découvertes concernant les terres inondées et leur flore. Ces écosystèmes sont si luxuriants qu'on les compare aux forêts équatoriales! Quatre salles d'exposition vous permettent de participer à des ateliers et de voir, en un seul lieu, la richesse naturelle du deuxième plus grand pays de la planète.

■ DUNDAS VALLEY CONSERVATION AREA

Profitez du paysage pendant que vous explorez la vallée de Dundas. Vous pouvez sans peine y passer une partie de votre journée, les pistes cyclables sont bien entretenues. Des snacks et des boutiques souvenirs sont accessibles sur le site. N'oubliez pas de prendre le temps de faire un tour à la Griffin House et à l'Hermitage Ruins.

■ DISCOVERY LANDING

Inauguré en 2006, le Discovery Landing de Burlington est un musée où vous en apprendrez beaucoup sur les liens étroits entre la région et le lac, l'écosystème et Dame Nature. Par mauvais temps, l'endroit est idéal pour observer les tempêtes.

■ ROYAL BOTANICAL GARDENS

Parmi les espaces verts de la région, les Royal Botanical Gardens retiennent l'attention. De superbes jardins thématiques intégrés à des paysages sauvages recouvrent le site. Hautes falaises, splendides ravins, plates-bandes colorées et resplendissants marais servent de décor. Créés en 1929 et parmi les plus admirés d'Amérique du Nord, ces jardins procurent un véritable plaisir tant pour les yeux que pour les nez les plus fins !

L'est de l'Ontario

Dans cette contrée au riche passé, vous découvrirez les plus vieux villages de la province datant de l'époque de la traite des fourrures et des Loyalistes de l'Empire Uni.

Baie de Quinte ou Comté du Prince- Édouard

À un peu moins d'une heure à l'ouest de Kingston, visiter la baie de Quinte et sa route agrotouristique. Vous croiserez des fraiseraies, des cultures de champignons, des vergers, des troupeaux de vaches, pas moins de sept vignobles ainsi que d'innombrables cafés et restos. L'endroit se révèle idéal pour faire une promenade en voiture ou de la randonnée, pour passer une journée à la plage, bref, pour décompresser et changer de rythme. C'est à croire que la péninsule présente la plus forte concentration de chefs et de fins gourmets. Un véritable paradis terrestre pour les épicuriens.

Kingston

Cette ville fortifiée et qui ne manque pas de chic, aurait pu rester la capitale du Canada si la reine Victoria ne lui avait préféré Ottawa.

Située stratégiquement à la jonction du fleuve Saint-Laurent et du lac Ontario, Kingston offre aux visiteurs son port, ses vieux édifices et ses jolies maisons. Vous ne pouvez qu'être séduit par son centre-ville avec ses magnifiques bâtiments victoriens. Les touristes, nombreux, viennent goûter aux charmes d'une croisière aux Mille-Îles ou écouter les flûtes irlandaises du célèbre Festival celtique. La découverte de cette charmante petite ville se fait souvent à pied.

■ CONFEDERATION TOUR TROLLEY

La visite guidée à bord du Confederation Tour Trolley, qui décrit en français l'histoire, les attraits naturels et l'incessante agitation de Kingston est une excellente façon de repérer les activités à faire pendant votre séjour.

■ FORT HENRY

Le Fort Henry, construit entre 1832 et 1837, constituait à lui seul la plus grande unité défensive britannique à l'ouest de Québec. Il devait protéger le Haut-Canada de toute invasion des États-Unis, alors un voisin bien ennuyeux. Aujourd'hui, ce lieu est l'une des meilleures attractions historiques au Canada. Aussitôt les portes de bois des fortifications traversées, des guides en costume d'époque vous accueillent, puis vous racontent la vie au fort au XIXᵉ siècle. Les exercices de tir sont particulièrement colorés. La place forte participe également à plusieurs événements spéciaux très intéressants.

■ INTERNATIONAL HOCKEY HALL OF FAME

Ce musée fort intéressant pour les amateurs du sport national canadien, met l'accent sur la dimension historique et internationale de ce sport. La collection est impressionnante et relate l'évolution du hockey et de ses règles de jeu et présente les personnages qui ont marqué le hockey sur glace comme le capitaine James Thomas Sutherland.

■ LIEU HISTORIQUE NATIONAL DU CANADA DE LA VILLA BELLEVUE

Il s'agit de la maison de John A. Mac Donald (1815-1891), avocat promis à une brillante carrière puisqu'elle mena ce natif écossais jusqu'aux fonctions de Premier ministre du Canada.

■ MARINE MUSEUM OF THE GREAT LAKES

Étant si proche de la frontière avec les États-Unis, Kingston se devait de monter une exposition sur la contrebande. Le brise-glace Alexander Henry amarré tout près peut se visiter dans la foulée.

Ottawa

Née au début du XIXᵉ siècle, Ottawa a été d'abord baptisée Bytown et a été le théâtre de batailles légendaires entre Irlandais et Canadiens français. Aujourd'hui, pourtant, Ottawa-la-Victorienne s'impose en Haute-Ville, tandis qu'Ottawa-la-Francophone s'anime en Basse-Ville. Ottawa doit son indéniable cachet au Premier ministre, Sir Wilfrid Laurier, qui rêvait d'en faire la Washington du Nord. Les édifices historiques, notamment les bâtiments néogothiques du Parlement (sur la colline qui domine la rivière Outaouais), ainsi que les nombreux espaces verts, la distinguent des autres villes nord-américaines. De nombreux festivals et manifestations culturelles ont lieu chaque année dans la capitale et ses environs.

■ MUSÉE CANADIEN DE LA GUERRE FROIDE À CARP

Fascinant et frissonnant, l'abri Diefen-bunker… une porte blindée massive, un long tunnel antiatomique, un laby-rinthe étonnant, un studio de radio-diffusion authentique, une chambre forte où de l'or aurait été entreposé, le bureau du Premier ministre et le poste de commande des états-majors de l'armée. Tout cela et plus encore au musée canadien de la Guerre Froide, dans les murs d'un abri construit sur 4 étages souterrains dans le secret le plus absolu à la fin des années 1950. On se croirait au cinéma !

■ MUSÉE CANADIEN DE LA PHO-TOGRAPHIE CONTEMPORAINE

Ce musée, situé près de l'écluse du canal Rideau, dispose désormais d'installations conformes à ses louables ambitions.

■ MUSÉE DE L'AVIATION DU CANADA

La collection aéronautique du musée national de l'Aviation est l'une des meilleures au monde. Situé à l'aéroport historique Rockcliffe, à Ottawa et aménagé dans un édifice pour le moins gigantesque, le musée national de l'Aviation permet un retour sur

© CALI - ICONOTEC

La Basse-Ville d'Ottawa.

l'évolution de cette machine volante à travers le temps.

■ MUSÉE DE LA MONNAIE
Installé à l'intérieur de l'édifice de la Banque du Canada, à l'angle des rues Bank et Wellington, ce musée présente l'une des plus importantes collections des monnaies au monde.

■ MUSÉE DES BEAUX-ARTS DU CANADA
L'architecture et la richesse des collections laissent rêveur. Moshe Safdie a conçu un musée qui laisse filtrer la lumière du jour et ménage des zones de repos. Ainsi, le visiteur apprécie la paix du cloître, celle du jardin intérieur ou encore le silence de la chapelle reconstituée qui offre un bel exemple de l'art décoratif religieux canadien. Le musée des Beaux-arts fait une incursion dans l'histoire artistique canadienne, en commémorant les travaux du Groupe des 7, d'Alfred Pellan, de Jean-Paul Lemieux et de Paul-Émile Borduas. La salle réunissant les œuvres du Groupe des 7 et celle dédiée à Emily Carr, sont toutes deux captivantes. La galerie d'art inuit et les collections d'œuvres américaines et européennes sont tout aussi remarquables. De Rembrandt à Monet jusqu'à Emily Carr et Riopelle. Soulignons la formidable tenue de la librairie.

■ MUSÉE NATIONAL DES SCIENCES ET DE LA TECHNOLOGIE
L'histoire des inventions industrielles racontée par le menu. En soirée, possibilité d'accéder au plus grand télescope du Canada.

■ ABORIGINAL EXPERIENCES
L'île Victoria, un peu à l'ouest de la colline parlementaire, sert une série d'expériences autochtones, de la mi-

© CALI – ICONOTEC

Détail du parlement d'Ottawa.

mai à la mi-octobre. Pendant des millénaires, cette île constituait un lieu de rassemblements et de commerce. L'île revêt donc un caractère ancestral. Au choix des activités d'une heure ou deux, voire d'une nuit ou de deux jours, visitez le village, participez à un pow-wow, goûtez des mets amérindiens, bricolez des inukshuks et des tambours.

■ RIDEAU HALL
C'est la résidence officielle du gouverneur général du Canada. Le domaine se visite.

■ RIVIÈRE OU CANAL RIDEAU
À Ottawa, de multiples parcs bordent la rivière et le canal Rideau. Ceux qui se laisseront emporter par la rivière pourront se rendre jusqu'à Kingston, tout en visitant les principaux postes d'éclusage de Merrickville, Jones Falls et Kington Mills.

Le Circuit patrimonial Rideau offre une jolie balade, à vélo ou en voiture… Il est candidat à la désignation de patrimoine mondial par l'Unesco.

Gatineau

Aujourd'hui la ville a vu l'édification de deux vastes complexes fédéraux : la place du Portage et les terrasses de la Chaudière, ainsi que l'implantation d'un campus de l'université du Québec. Elle accueille depuis peu le tout récent casino de Hull, énorme structure d'avant-garde édifiée au bord du lac Leamy. Du parc Jacques-Cartier (accès par la rue Laurier), vous découvrez une vue d'ensemble d'Ottawa, sur l'autre rive, en particulier sur la colline du Parlement.

■ MUSÉE CANADIEN DES CIVILISATIONS

Ce vaste complexe muséologique ultramoderne offre 16 500 m² de salles d'exposition consacrées à l'histoire du Canada depuis les Vikings ainsi qu'aux arts et traditions des nations autochtones du Canada. Par l'impressionnante collection d'objets qu'il regroupe, ses diaporamas, ses systèmes de projection de haute technologie et ses expositions interactives, il vise à mettre en valeur le patrimoine culturel des 275 groupes humains vivant au Canada. Vous y verrez également le Musée canadien des enfants (activités de découverte), le Musée canadien de la poste, un théâtre IMAX et des expositions temporaires.

■ TRAIN À VAPEUR HULL-CHELSEA-WAKEFIELD

Vivez l'expérience des pionniers du début du siècle dernier dans l'un des derniers véritables trains à vapeur en circulation au Canada. L'excursion d'une demi-journée, commentée par des guides et des musiciens à bord de la locomotive, vous conduira jusqu'au pittoresque village de Wakefield. Le train roule en bordure de la rivière Gatineau pendant ce voyage hors du temps.

Canton d'Alfred-Plantagenet

■ ÉCHO D'UN PEUPLE

Ceux qui veulent connaître la francophonie ontarienne se doivent d'assister à L'écho d'un peuple, spectacle à grand déploiement à la ferme Drouin de Casselman. Dans un immense théâtre à ciel ouvert aménagé expressément, 200 comédiens retracent, en 14 tableaux, la tumultueuse histoire franco-ontarienne. La ferme centenaire qui accueille le spectacle offre également un forfait repas-spectacle et une profusion d'activités familiales. L'été et l'automne, un champ de maïs se transforme en gigantesque labyrinthe.

Petawawa

La paisible ville de Petawawa est située entre la rive occidentale de la rivière des Outaouais et la rivière Petawawa. Au-delà de son histoire militaire, elle représente un endroit idéal pour les adeptes du plein air, du camping et des plages dorées, comme celle de Petawawa Point, où le kiosque Legacy Landmark offre une vue panoramique à couper le souffle. Le site pittoresque de la grotte Bonnechere, gagnant de la médaille d'or des prix Attractions Canada, permet de se divertir tout en approfondissant ses connaissances en histoire naturelle. Les férus d'histoire pourront continuer la visite de la ville par le Musée militaire de la base des Forces canadiennes de Petawawa.

Le Québec

Bastion de la culture francophone, le Québec est la plus vaste province du Canada, dont elle occupe 15 % du territoire. Trois fois plus grande que la France et aussi étendue que l'Alaska, la Belle Province atteint 1 500 km d'est en ouest et 2 000 km du nord au sud.

Montréal

Elle est la seule ville du Canada à avoir su concilier les influences du Vieux Continent et la modernité nord-américaine, à avoir pu réunir les communautés anglophone et francophone que l'histoire a longtemps opposées, et à avoir réussi à intégrer une mosaïque ethnique issue de l'immigration.

■ BASILIQUE NOTRE-DAME DE MONTRÉAL
La basilique fut construite entre 1824 et 1829 pour remplacer la précédente église Notre-Dame. Son majestueux décor intérieur n'est rajouté qu'à la fin du XIXe siècle. C'est un bijou d'architecture !

■ BIODÔME DE MONTRÉAL
Les écosystèmes les plus extraordinaires ont été reconstitués : forêt tropicale, forêt laurentienne, le Saint-Laurent marin et même les mondes polaires Arctique et Antarctique.

■ BIOSPHÈRE
La Biosphère d'Environnement Canada est devenue au fil du temps le premier centre canadien d'observation environnementale. En Amérique du Nord, c'est l'unique musée dédié à l'eau et plus particulièrement au fleuve Saint-Laurent et aux Grands Lacs.

VISITE

Le Québec

Intérieur de la basilique Notre-Dame de Montréal.

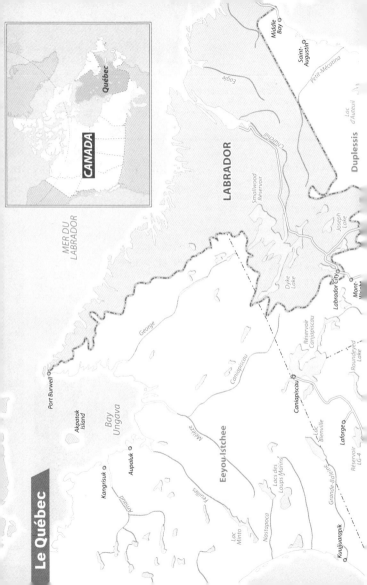

Le Québec

CANADA

Québec

MER DU
LABRADOR

LABRADOR

Duplessis

Middle
Bay

Saint-
Augustin

Petit-Mécatina

Lac
d'Auteuil

Churchill

Smallwood
Réservoir

Joseph
Lake

Labrador City

Mont-
Wright

Dyke
Lake

George

Port Burwell

Akpatok
Island

Bay
Ungava

Aupaluk

Kangirsuk

Arnaud

Caniapiscau

Eeyou Istchee

Mélèze

Réservoir
Caniapiscau

Caniapiscau

Roundeyed
Lake

Lac à
Bienville

Laforge

Réservoir
LG-4

Feuilles

Lac des
Loups Marins

Grande-Baleine

Lac
Minto

Nastapoca

Kuujjuarapik

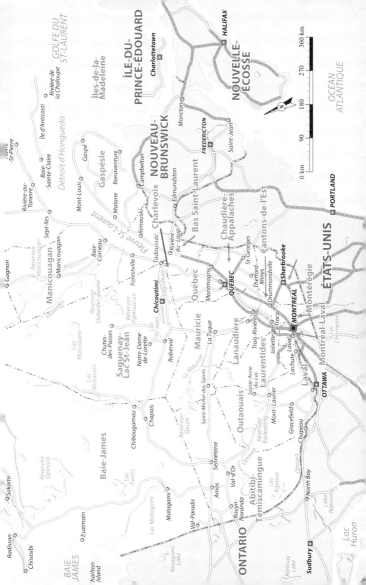

Centre-ville de Montréal

Légende
- Musée
- Curiosité
- Théâtre
- Station de métro
- Hôpital
- Informations touristiques
- Gare ferroviaire

CENTRE-VILLE

Musée d'art contemporain de Montréal

Édifice Belgo

Palais des congrès

Place-d'Armes

Place-des-Arts

Square-Victoria

Gare centrale

Musée McCord

Universitée McGill

Musée Redpath

Champs-de-Mars

Saint-Laurent

McGill

Peel

PARC DU MONT-ROYAL

Parc Rutherford

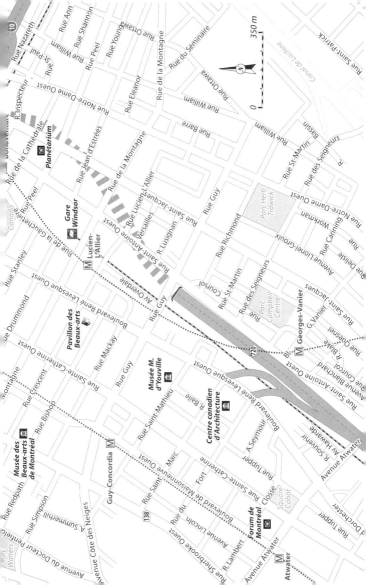

Biosphère de Montréal.

■ CENTRE CANADIEN D'ARCHITECTURE

Dédié à l'histoire de l'architecture, ce centre de 12 000 m² abrite des collections uniques et d'envergure internationale. Librairie, bibliothèque.

■ CENTRE DES SCIENCES

Les mordus de sciences et de technologies apprécieront l'exploration du centre des sciences. Cinéma IMAX sur place.

■ JARDIN BOTANIQUE & INSECTARIUM DE MONTRÉAL

Créé en 1931 par le frère Marie-Victorin, c'est l'un des plus beaux jardins botaniques du monde, occupant un terrain de 75 hectares où poussent plus de 25 000 espèces végétales de la flore du monde entier. Le Jardin botanique abrite l'Insectarium de Montréal dont le bâtiment a la forme d'un insecte géant. Avec une collection de plus de 350 000 insectes du monde entier, vivants ou naturalisés, l'Insectarium exerce une indéniable fascination sur les enfants (et les adultes !).

■ LIEU HISTORIQUE NATIONAL SIR GEORGE-ÉTIENNE CARTIER

Chacune des expositions temporaires recrée l'atmosphère de la maison familiale de sir George-Étienne Cartier, un des pères de la Confédération canadienne. Les visiteurs se sentent impliqués et revivent des scènes de la vie de l'époque.

■ MUSÉE D'ART CONTEMPORAIN

Le musée d'art contemporain fait la promotion de l'art d'aujourd'hui en exposant des œuvres québécoises, canadiennes et étrangères.

■ MUSÉE DES BEAUX-ARTS DE MONTRÉAL

La collection permanente recèle de pièces des plus intéressantes. Plus de 30 000 objets forment une des collections les plus riches d'Amérique du Nord.

■ MUSÉE DU CHÂTEAU RAMEZAY

Premier édifice classé monument historique et plus ancien musée d'histoire privé au Québec.

Le marché Bonsecours dans le vieux Montréal.

La chapelle de Notre-Dame-de-Bonsecours.

Dans le quartier de West Sherbrooke.

Cathédrale Christ Church et buildings.

Vue du vieux port de Montréal.

L'hôtel de ville dans le vieux Montréal.

Le stade olympique.

Depuis plus de 110 ans, il présente des expositions à caractère historique et organise des activités culturelles, scientifiques et muséologiques.

■ MUSÉE MCCORD
Évocation de la vie quotidienne au Canada aux XVIIIe et XIXe siècles à travers des dessins, estampes, vêtements, meubles, orfèvrerie…

■ ORATOIRE SAINT-JOSEPH
S'élevant sur le flanc nord-ouest du mont Royal, ce monument est, sans aucun doute, l'un des sites les plus visités de Montréal, en partie pour la magnifique vue qu'il offre depuis sa terrasse. Lieu de recueillement, cette impressionnante basilique style néo-Renaissance, coiffée d'un gigantesque dôme octogonal en cuivre, accueille des pèlerins venus de tous les coins du monde faire leurs dévotions à Saint-Joseph.

■ PLANÉTARIUM DE MONTRÉAL
Les merveilles de l'univers et de l'exploration spatiale sont présentées dans un langage clair et imagé. Les spectacles du Planétarium explorent le temps et l'espace : de la voie lactée aux confins de l'Univers.

■ POINTE-À-CALLIÈRE, MUSÉE D'ARCHÉOLOGIE ET D'HISTOIRE DE MONTRÉAL
Sur les lieux mêmes de la fondation de Montréal, ce musée met en valeur d'importants vestiges architecturaux et une collection unique d'objets et d'artefacts trouvés sur le site lors des fouilles archéologiques.

■ CANAL LACHINE
Pendant 134 ans, ce fut la voie de navigation qui reliait les villes des Grands Lacs au reste du monde. Il a joué un rôle de premier plan dans l'industrialisation de Montréal. Plusieurs grandes entreprises s'y installèrent au lendemain de son ouverture, en 1825. Les cités ouvrières suivirent. Ainsi sont nées des villes qui allaient devenir, par voie d'annexions, des quartiers à part entière de Montréal. Après l'avoir laissée à l'abandon, le gouvernement fédéral a commencé à réaménager en parc cette voie navigable. Une piste cyclable longe le canal depuis le port de Montréal jusqu'à Lachine.

■ CARRÉ SAINT-LOUIS
Situé rue Saint-Denis, entre la rue Sherbrooke et la rue des Pins, c'est le rendez-vous des jeunes en été. Il n'est pas aussi « bien » fréquenté qu'au siècle passé et les résidents du quartier se plaignent de cette bruyante faune. Créée en 1876 à l'emplacement d'un réservoir, cette place ombragée entourée de belles demeures victoriennes aux toits colorés et originaux faisait alors les délices de la société élégante et de l'élite bourgeoise canadienne française. Depuis les années 1970, des artistes, écrivains, musiciens ont élu domicile dans le secteur, lequel a connu un regain de vie depuis la création de l'université du Québec à Montréal, rue Saint-Denis.

■ PARC ANGRIGNON
L'un des grands parcs de la ville : un lac, des arbres, des sentiers, une petite ferme, ainsi que des jardins communautaires. Un havre de paix pour flâner.

■ PARC DU MONT-ROYAL
Il mérite le détour pour le panorama montréalais qu'il offre depuis le belvédère (aire de stationnement) de la voie Camilien-Houde, et depuis la terrasse du Chalet (accessible à pied seulement). On peut se balader à pied dans le parc comme à bicyclette.

Au centre se trouve un lac artificiel, le lac des Castors, qui attire les promeneurs, été comme hiver quand on le transforme en patinoire.

■ PARC JEAN-DRAPEAU
Iles Sainte-Hélène et Notre-Dame. Les îles sont le joyau le plus complet de Montréal, accessibles par vélo, métro ou auto. Un peu à l'écart et épousées par le Saint-Laurent, elles offrent une foule d'activités sur une surface particulièrement privilégiée. Ainsi, on y trouve un important belvédère pour admirer le Vieux-Port et le fleuve, sans oublier la piscine extérieure, la plage, la Biosphère, le vieux fort, le musée Stewart (expositions), des lacs, une marina et le réputé parc d'attractions La Ronde.

■ PARC LAFONTAINE
Dans la partie sud, sur la place Charles-de-Gaulle, le théâtre de Verdure présente, en été, des spectacles gratuits. L'hiver, on y patine en plein air jusque tard le soir. La vue sur le centre-ville est remarquable.

■ PARC MAISONNEUVE ET PARC OLYMPIQUE
Après celui du Mont-Royal, le parc Maisonneuve est le second plus grand parc de Montréal. On retrouve sur l'ensemble du site le stade olympique, le biodôme et le jardin botanique.

Vallée du Richelieu
La vallée du Richelieu constitue un axe majeur reliant Montréal à New York.

■ PARC NATIONAL DU MONT SAINT-BRUNO
Le parc national du Mont-Saint-Bruno (5,9 km²) fait partie de la région naturelle des collines montérégiennes. Véritable havre de paix à quelques kilomètres de la ville, il abrite une faune riche et diversifiée ainsi que cinq lacs, un verger de plus de 850 pommiers et un moulin historique. Plusieurs activités en toutes saisons et domaine skiable en hiver.

■ MONT-SAINT-HILAIRE
Patrie des célèbres peintres Ozias Leduc et Paul-Émile Borduas, Mont-Saint-

© STÉPHANE SAVIGNARD

Balade de nuit vers la place d'Armes de Montréal.

Hilaire est un centre artistique réputé. Autre curiosité, sa petite église décorée par Ozias Leduc en 1898. Au-dessus de la localité se dresse le mont Saint-Hilaire, qui fait partie des collines montérégiennes et dont les versants sont couverts de pommiers (c'est un haut lieu de la pomme).

■ LIEU HISTORIQUE NATIONAL DU CANADA DU FORT CHAMBLY
Le Fort Chambly représente un intéressant vestige de la présence française. Il est construit par les Français en 1709, au pied des rapides de la rivière Richelieu, où on y attend de pied ferme les attaquants des colonies anglaises. Une exposition y présente la vie des soldats et des habitants vers 1750.

■ SAINT-JEAN-SUR-RICHELIEU
Son histoire remonte au XVIIᵉ siècle, à l'époque des guerres iroquoises, au cours desquelles les Français avaient bâti une série de fortins (dont le fort Saint-Jean, datant de 1666) le long de la rivière Richelieu. Après la guerre d'Indépendance américaine, de nombreux loyalistes se sont établis dans la région et plus particulièrement dans cette localité, appelée un temps Dorchester, qui a constitué un nœud d'échanges important avec New York et le lac Champlain dans l'État du Vermont. Dans le Vieux Saint-Jean aux maisons victoriennes, allez faire un tour au musée du Haut-Richelieu qui rappelle l'histoire militaire de cette « vallée des forts ».

Les Cantons-de-l'Est
Situés au sud-est de Montréal, les Cantons-de-l'Est longent la frontière des Etats-Unis. Ils commencent dans les plaines et montent jusqu'aux Appalaches.

Granby
Carrefour industriel, culturel et touristique d'importance, connue pour son zoo et son Festival international de la Chanson, la ville doit son nom au marquis de Granby (ville d'Angleterre), duc de Rutland et baron de Belvoir, propriétaire d'un vaste territoire que lui avait offert le roi George III. C'est la deuxième ville la plus peuplée, après Sherbrooke.

Lac-Brome (Knowlton)
Knowlton est connue pour son héritage loyaliste avec son architecture victorienne et son atmosphère anglo-saxonne. Sa renommée tient également au fameux canard du Lac Brome que l'on célèbre en grande pompe en septembre. À Knowlton, on aime aussi musarder dans les rues bordées de galeries d'art, de boutiques d'artisanat et d'antiquités, d'auberges, sans oublier le fameux Magasin Général J.L. Flanagan sur la rue Victoria.

Sutton
Constituée en 1802, la municipalité du canton de Sutton est appréciée pour ses paysages de campagne paisible. On y vient pour le plaisir de la glisse au mont Sutton et les activités de plein air.

■ MONT SUTTON
L'hiver, le mont Sutton est une belle station de ski qui possède 53 pistes d'une grande variété dont 40 % dans les sous-bois. Nombreuses activités de plein air en toute saison.

Saint-Benoît-du-Lac

■ ABBAYE DE SAINT-BENOÎT-DU-LAC
L'abbaye fait partie de la congrégation bénédictine de Solesmes en France.

Elle abrite un monastère de vie contemplative où vivent une soixantaine de moines. Plus prosaïquement, c'est ici que sont fabriqués une quinzaine de fromages et des cidres réputés au Québec.

Magog-Orford

Magog et sa vue sur le lac Memphrémagog (vaste étendue d'eau dans la langue abénaquise), le mont Orford à l'arrière-plan, l'importante marina en avant-plan, les auberges, les boîtes à spectacles… Magog, abréviation de Memphrémagog, est le point stratégique des attraits touristiques des Cantons-de-l'Est. Petite histoire dont vous entendrez sûrement parler : le monstre légendaire du lac, Memphré. Il aurait été vu plus de 225 fois et ce depuis 1798. Peut-être l'apercevrez-vous durant votre séjour…

■ CENTRE D'ARTS D'ORFORD

Dans un site enchanteur, au pied du mont Orford, cette académie de musique et d'arts visuels organise de nombreuses expositions et des concerts.

■ PARC NATIONAL DU MONT ORFORD

Le parc national du mont Orford (d'une superficie de 58,4 km²) séduira les amateurs de plein air avec un large éventail d'activités, en été comme en hiver, en totale harmonie avec la nature. Station de ski mont Orford et centre de villégiature Jouvence sur le site même.

North Hatley

Le lieu, colonisé par les loyalistes, est reconnu pour la qualité de son accueil, pour ses gîtes mais surtout, pour sa beauté. Belles galeries d'art, des boutiques d'artisanat et d'antiquités lui donnent un indéniable cachet. Des aristocrates et des industriels y ont construit de somptueuses demeures.

Sherbrooke

Cette ville accueillante qui s'étale sur plusieurs collines est la capitale régionale, soit un centre industriel, économique, commercial et universitaire réputé. Les rues King et Wellington où vous trouverez tout, ou presque, en constituent l'épicentre.

■ MUSÉE DE LA NATURE ET DES SCIENCES

Une belle activité pour toute la famille où le monde des sciences et celui de la nature seront démystifiés par le biais d'expositions, d'ateliers et de jeux interactifs.

■ MUSÉE DES BEAUX-ARTS DE SHERBROOKE

Le musée des Beaux-Arts abrite une collection d'œuvres des XIXe et XXe siècles ainsi que des œuvres des artistes des Cantons-de-l'Est.

Les Laurentides

Paradis des skieurs et des mordus de la nature, les Laurentides désignent le massif montagneux de la rive nord du fleuve Saint-Laurent.

Oka

La municipalité d'Oka est géographiquement bien située, sur la rive nord du lac des Deux-Montagnes, à environ une cinquantaine de kilomètres au nord-ouest de Montréal.

■ ABBAYE D'OKA

L'abbaye Cistercienne d'Oka, fondée par des moines français à la fin du XIXe siècle, se niche dans les boisés situés sur les hauteurs du lac des Deux-

Montagnes. Ce monastère fut un haut lieu de recueillement. De cette abbaye, découle en partie la tradition fromagère du Québec, cela depuis 1893.

◾ PARC NATIONAL D'OKA

En sillonnant le parc national d'Oka (23,7 km²), situé à proximité de la région métropolitaine, vous découvrirez une mosaïque de milieux naturels. La présence historique du calvaire d'Oka constitue également une importante richesse patrimoniale avec son chemin de croix ponctué de quatre oratoires et trois chapelles datant de 1742.

Saint-Sauveur

Le village de Saint-Sauveur se niche dans une vallée. Il est l'avant-poste de la région des lieux de villégiature, le lieu de rencontre des skieurs en hiver (capitale du ski alpin nocturne) et le plus animé des villages laurentiens. Plusieurs galeries d'art et de jolies maisons d'époque attireront votre attention le long des rues principale et de la gare.

◾ STATION DE SKI MONT-SAINT-SAUVEUR

38 pistes, 213 m de dénivellation, ski de soirée (30 pistes éclairées), 8 remontées mécaniques, snowpark, glissade sur tube et rafting sur neige.

◾ STATION DE SKI MONT-AVILA

11 pistes, 188 m de dénivellation, ski de soirée (8 pistes éclairées), 3 remontées mécaniques, snowpark, glissade sur tube et rafting sur neige.

◾ GLISSADES DES PAYS-D'EN-HAUT

Les glissades (toboggans) des Pays-d'en-Haut offrent 35 pistes de glissades et rafting des neiges. 15 km de descente, 8 000 remontées mécaniques à l'heure, 1 télésiège et 1 télérafting.

Sainte-Adèle

Située sur la montagne, plus au nord sur l'autoroute des Laurentides, Sainte-Adèle s'étale au pied d'un lac, en haut de la côte Morin. Ici est né Claude-Henri Grignon, à la fois écrivain, polémiste et journaliste.

© AUTHOR'S IMAGE

Chalet dans les Laurentides.

■ STATION DE SKI CHANTECLER

16 pistes, 201 m de dénivellation, ski de soirée (8 pistes éclairées), 3 remontées mécaniques, snowpark.

■ STATION DE SKI MONT-GABRIEL

18 pistes, 200 de dénivellation, ski de soirée (12 pistes éclairées), 6 remontées mécaniques, snowpark.

Mont-Tremblant

Les Amérindiens de la tribu des Algonquins l'appelaient Manitou Ewitchi Saga, soit « la montagne du redoutable Manitou ». C'était leur dieu de la nature, celui qui faisait trembler les montagnes lorsque les humains perturbaient l'ordre naturel : d'où le nom de montagne tremblante. C'est le paradis des amoureux de la nature. Mont-Tremblant abrite aujourd'hui la station de sports d'hiver la plus haute et la plus importante des Laurentides (968 m, dénivelé de la station de ski : 645 m). Le Vieux-Tremblant, situé non loin de là, est un village pittoresque et plein de charme.

■ PARC NATIONAL DU MONT-TREMBLANT

Le parc national du Mont-Tremblant est le plus grand parc du Québec (1 510 km²) et le premier à avoir été créé. Vous y découvrirez un immense univers de lacs (400), rivières (6), chutes, cascades et montagnes où la faune vit en toute liberté.

Région de l'Outaouais

■ RÉSERVE FAUNIQUE DE PAPINEAU-LABELLE

La réserve faunique (1 628 km²) a été créée en 1971 dans le but de faciliter l'accès de toute la population québécoise à des territoires de chasse, de pêche et d'activités de plein air.

La Mauricie

La Mauricie, c'est essentiellement la nature dans toute sa beauté majestueuse et plus particulièrement l'alliance de l'eau, de la montagne et de la forêt.

© AUTHOR'S IMAGE

Village du Vieux-Tremblant.

Trois-Rivières

Depuis 1930, Trois-Rivières est la capitale mondiale de production du papier journal. La ville bénéficie aussi d'un rayonnement culturel grâce à son université et à ses nombreuses manifestations.

■ PARC PORTUAIRE
La promenade sur la terrasse Turcotte en bordure du Saint-Laurent offre de magnifiques points de vue sur le fleuve, le port et le pont Laviolette. C'est aussi le lieu de départ et d'arrivée des bateaux de croisière.

■ RUE DES FORGES
Animée de restaurants et de boutiques, elle relie le port au parc Champlain, square agrémenté de bassins et d'arbres qu'encadrent les structures de béton ultramodernes du centre culturel et de l'hôtel de ville.

■ MUSÉE QUÉBÉCOIS DE CULTURE POPULAIRE ET EX-PRISON
À la vieille prison de Trois-Rivières, d'anciens détenus vous font découvrir l'univers carcéral des années 1960. Le musée abrite également des expositions sur l'art et la culture québécois avec, entre autres, une salle exclusivement dédiée aux enfants.

Shawinigan

On l'appelait jadis la « Ville Lumière » car elle fournissait presque toute l'énergie électrique de la ville de Montréal. Les chutes de la Saint-Maurice ont été exploitées à des fins hydroélectriques dès la fin du XIXe siècle. Elles sont très impressionnantes (50 m de hauteur), surtout au printemps, lors du dégel.

■ CITÉ DE L'ÉNERGIE
Le parc de la cité de l'Énergie vous invite à la découverte de l'aventure industrielle et centenaire de Shawinigan. Le soir, le spectacle *Eclyps* combine théâtre, musique, danse et arts du cirque et vous transportera dans la mythologie de la voûte céleste.

Secteur de Grand-Mère

■ PARC NATIONAL DU CANADA DE LA MAURICIE
C'est un territoire sauvage de lacs et de forêts de 536 km², au cœur des Laurentides. La route panoramique de 70km relie les deux points d'accès du parc et longe, sur 16 km, le lac Wapizagonke avant de conduire au belvédère du Passage puis au lac Édouard qui offre une ravissante plage de sable fin aménagée pour la baignade et le pique-nique.

Québec

Berceau de la province du Québec, bastion de la culture française en Amérique du Nord, la ville de Québec est un bijou. C'est aussi la seule ville fortifiée d'Amérique du Nord, et son quartier ancien, le Vieux-Québec, s'inscrit désormais sur la liste du patrimoine mondial de l'Unesco. Depuis 1867 (date de la Confédération), Québec est la capitale politique de la province du même nom.

Le Vieux-Québec (Haute-Ville)

Le cœur du Vieux-Québec, où Champlain érigea le premier fort, conserva pendant deux siècles une vocation religieuse et administrative.

■ CHÂTEAU FRONTENAC
Ainsi baptisé en l'honneur du gouverneur de la Nouvelle-France, il se dresse au flanc du cap Diamant depuis 1893, à l'emplacement de l'ancienne résidence du gouverneur.

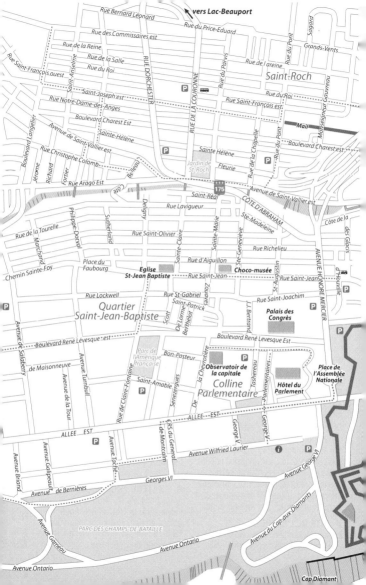

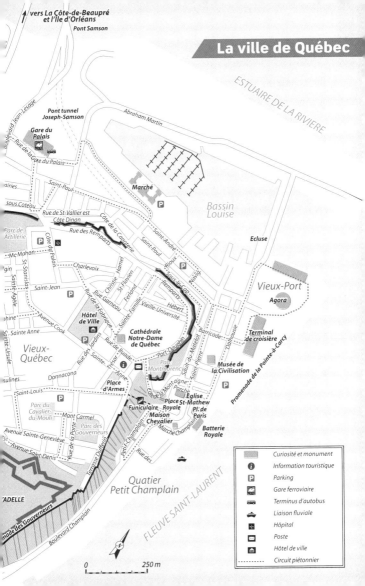

La ville de Québec

vers La Côte-de-Beaupré
et l'Île d'Orléans
Pont Samson

ESTUAIRE DE LA RIVIÈRE

boulevard Jean-Lesage

Pont tunnel
Joseph-Samson

Abraham Martin

Gare du
Palais

Rue de la Gare du Palais

iairies

Saint-Paul

Marché

Bassin
Louise

Ecluse

sous Coteau

Rue de St-Vallier est
Côte Dinan

Côte de la Canoterie

Parc de
Artillerie

Côte du Palais

Rue des Remparts

Saint-André

Saint-Paul

Riou x

Mc-Mahan

Charlevoix

Christie

Hamel

St-Florien

Ferland

Rue du Sault-au

Vieux-Port

Agora

gin

St-Stanislas

Saint-Jean

Rue Garneau

Rue de la Fabrique

Sainte-Famille

Remparts

Hébert

Sainte-Agalie

phine

Avenue Cook

Hôtel
de Ville

Vieille-Université

Barricade

Terminal
de croisière

Sainte Anne

Rue des Jardins

Rue de Buade

Cathédrale
Notre-Dame
de Québec

Rue Sainte-Trésor

Rue Sainte-Anne

Parc
Montmorency

Port-Dauphin

Saint-du-Matelot

Saint-Pierre

Musée de
la Civilisation

Promenade de la Pointe-à-Carcy

Dolhousie

Vieux-
Québec

ulines

Saint-Louis

Donnacona

Place
d'Armes

Cecile (la Montagne

Porche

Église
St-Mathew
Pl. de
Paris

Place
Royale

Parc du
Cavalier-
du-Mouli

Mont Carmel

Parc des
Gouverneurs

Funiculaire

Maison
Chevalier

Marché Champlain

Batterie
Royale

Avenue Sainte-Geneviève

Rue de la Porte

le-Avenue-Saint-Denis

Petit Champlain

Terrasse Dufferin

Rue des

'ADELLE

Quatier
Petit Champlain

FLEUVE SAINT-LAURENT

Boulevard Champlain

ade des Gouverneurs

	Curiosité et monument
ℹ	Information touristique
P	Parking
	Gare ferroviaire
	Terminus d'autobus
	Liaison fluviale
	Hôpital
	Poste
	Hôtel de ville
····	Circuit piétonnier

0   250 m

Le château Frontenac, symbole de la ville.

■ **PLACE D'ARMES**

Ce square de verdure est dominé par la masse imposante du Château Frontenac. Une fontaine surmontée d'une sculpture néogothique en occupe le centre. Plus loin, s'élève un monument à la gloire de Champlain, fondateur de Québec. C'est sur ce site que Champlain fait bâtir, en 1620, le fort Saint-Louis, où il meurt en 1635.

■ **TERRASSE DUFFERIN ET PROMENADE DES GOUVERNEURS**

C'est, au pied du Château Frontenac, une longue et large terrasse de planches balayée par le vent et surplombant le Saint-Laurent. Elle offre de magnifiques vues sur la Basse-Ville et le fleuve.

■ **MUSÉE DU FORT**

Il retrace l'histoire militaire de Québec depuis sa fondation : ses six sièges, la funeste bataille des Plaines d'Abraham et l'invasion américaine de 1775.

■ **RUE SAINT-LOUIS**

Cette voie animée regorgeant de restaurants et de boutiques recèle quelques-unes des plus belles maisons de la ville.

■ **GALERIE D'ART BROUSSEAU ET BROUSSEAU**

Une galerie superbe pour les férus d'art inuit ou tout simplement pour les curieux car, cet art si particulier mérite qu'on s'y attarde.

■ **RUE DU TRÉSOR**

Le meilleur côtoie le pire dans cette ruelle où les artistes exposent à longueur d'année et où les passants, en haute saison, ont peine à se frayer un chemin. La rue tient son nom d'un immeuble où les colons du régime français allaient payer leur redevance au Trésor royal.

■ **MONASTÈRE DES URSULINES, CHAPELLE ET MUSÉE**

Les 120 ans de régime français (1639-1759) chez les Ursulines. Peintures, sculptures, mobilier, et de superbes broderies exécutées par elles aux XVIIe, XVIIIe et XIXe siècles.

■ BASILIQUE-CATHÉDRALE NOTRE-DAME-DE-QUÉBEC

La plus ancienne basilique de la partie du continent américain située au nord du Mexique, cathédrale depuis la fin du XVIIe siècle, chef-d'œuvre de la famille Baillairgé, est riche en œuvres d'art.

■ MUSÉE DE L'AMÉRIQUE FRANÇAISE – SITE HISTORIQUE DU SÉMINAIRE DE QUÉBEC

Le séminaire de Québec est la plus ancienne institution d'enseignement supérieur du Canada. Le musée de l'Amérique française présente des collections uniques dans la tradition des musées universitaires des XVIIIe et XIXe siècles.

Basse-Ville

Accès par le funiculaire ou l'escalier Frontenac. Le quartier a été joliment restauré dans les années 1970. Restaurants, cafés-terrasses, boutiques et galeries d'art foisonnent. L'animation bat son plein dans la rue du Petit-Champlain et autour de la place Royale, le cœur de la Basse-Ville, qui ont gardé leur aspect du XVIIIe siècle.

■ PLACE ROYALE

Un de ces endroits à ne pas manquer, où l'on sent de façon authentique le souffle de l'Histoire. C'était, à l'origine, le jardin de Champlain. Lorsque la ville se développa, l'endroit devint un des marchés les plus animés.

■ MUSÉE DE LA CIVILISATION

Le musée propose plus de 10 expositions thématiques à la fois. Il est organisé en deux sections : « Objets de civilisation » (mobilier, outils, costumes québécois) et « Mémoires » (4 siècles d'histoire et de culture).

■ RUE SAINT-PIERRE

C'était, au XIXe siècle, le quartier des affaires.

Glissade de la terrasse Dufferin.

La place d'Armes de Québec.

VISITE

Le Québec

© AUTHOR'S IMAGE

Dans le quartier du Petit Champlain.

Le fleuve Montmorency dans les environs de Québec.

Séance shopping dans le Vieux-Québec.

■ RUE SAINT-PAUL

Cette charmante rue est renommée pour ses magasins d'art et d'antiquités.

■ VIEUX-PORT

Il contribua à l'essor de la ville et joua un rôle primordial jusqu'à la fin du XIXe siècle. Il offre un complexe moderne, l'Agora (1980), comprenant un amphithéâtre et un centre commercial, ainsi qu'un centre d'interprétation du Vieux-Port-de-Québec (100 rue Saint-André) qui souligne le rôle prépondérant du port au XIXe siècle.

Le système de défense

Du XVIIe au XIXe siècle, la forteresse de Québec a eu en charge la défense de tout le nord-est de l'Amérique. De ce dispositif militaire subsistent d'importants vestiges.

■ CITADELLE DE QUÉBEC

Sur le cap Diamant, la citadelle de Québec aussi appelée le « Gibraltar d'Amérique », est un site historique unique. Depuis 1920, la citadelle est occupée par les troupes du 22e régiment royal.

■ LIEU HISTORIQUE NATIONAL DU CANADA DES FORTIFICATIONS DE QUÉBEC

Pour parfaire vos connaissances sur les remparts de la ville, sur les fortifications, sur la visite d'une poudrière, le centre d'interprétation, aménagé sous les remparts, répondra à toutes vos questions.

■ LIEU HISTORIQUE NATIONAL DU CANADA DU PARC DE L'ARTILLERIE

Ce fut un emplacement stratégique majeur. On y visite aujourd'hui, pacifiquement, l'ancienne fonderie, la redoute Dauphine (1712-1748) et le logis des officiers (1820).

■ PARC DES CHAMPS-DE-BATAILLE

C'est ici, dans les Plaines d'Abraham, que Wolfe et Montcalm se sont affrontés en 1759.

■ MUSÉE NATIONAL DES BEAUX-ARTS DU QUÉBEC

Collections permanentes d'art québécois et expositions temporaires consacrées à un artiste, un thème ou une époque. Le musée du Québec abrite le musée d'Art national et la plus importante sélection d'œuvres produites au Québec depuis le XVIIe siècle.

La colline parlementaire

C'est la Haute-Ville hors les murs, où se juxtaposent des édifices de style Second Empire et de hautes tours ultramodernes.

■ ASSEMBLÉE NATIONALE

Dans cet édifice plus que centenaire, les députés siègent, font les lois et débattent des sujets qui touchent la population.

VISITE

© STÉPHANE SAVIGNARD

Hôtel du parlement à l'assemblée nationale de Québec.

QUÉBEC EXPÉRIENCE

Une façon originale d'aborder l'histoire avec un voyage dans le temps en trois dimensions qui reconstitue les moments forts de l'évolution de la ville.

GRANDE-ALLÉE

Cette grande avenue qui part de la porte Saint-Louis, dans le prolongement de la rue Saint-Louis, est appelée « les Champs-Élysées » de Québec.

OBSERVATOIRE DE LA CAPITALE

Le plus haut sommet (221 m d'altitude) de la ville offre une vue imprenable sur le Saint-Laurent, la ville de Québec et sa région.

AQUARIUM DU QUÉBEC

La diversité de la faune maritime du Saint-Laurent à l'Atlantique nord est abordée. Les nouvelles technologies sont mises à profit dans un spectacle multimédia où le visiteur plonge dans les eaux du fleuve et remonte jusqu'au pôle nord.

LIEU HISTORIQUE NATIONAL DU CANADA CARTIER-BRÉBEUF

Le Centre d'interprétation évoque, à travers ses expositions, les voyages de Jacques Cartier en Nouvelle-France.

Les environs de Québec

Au nord

WENDAKE

Plusieurs activités en lien avec le mode de vie et les traditions de la nation des Hurons (Wendats).

STATION TOURISTIQUE DE STONEHAM

Avec ses 32 pentes dont 16 éclairées, la station de Stoneham bénéficie de belles conditions atmosphériques. Toute la logistique possible est présente pour que vous passiez une bonne journée.

PARC NATIONAL DE LA JACQUES-CARTIER

Véritable sanctuaire de la nature sauvage, le parc national de la Jacques-Cartier occupe un territoire de 670 km²,

L'hôtel de glace de la station écotouristique Duchesnay

Au bord du lac Saint-Joseph dans la station écotouristique Duchesnay.

À la station écotouristique Duchesnay.

constitué d'un plateau fracturé par des vallées aux versants abrupts, couvert de conifères et lacs et profondément entaillé par la rivière Jacques-Cartier.

◼ RÉSERVE FAUNIQUE DES LAURENTIDES

Territoire protégé depuis 1895, la réserve faunique des Laurentides (7 961 km²) a toujours été reconnue comme un réservoir de ressources naturelles et fauniques. Elle offre un excellent potentiel récréatif avec activités nombreuses et variées pour chasseurs, pêcheurs et adeptes d'activités de plein air.

À l'ouest

◼ STATION ÉCOTOURISTIQUE DUCHESNAY

La forêt laurentienne (érables et bouleaux jaunes) couvre une superficie de 89 km². On y découvre un véritable patrimoine naturel, notamment à travers les activités proposées.

◼ RÉSERVE FAUNIQUE DE PORTNEUF

Jadis, fief de clubs privés fortunés, la réserve faunique de Portneuf (d'une superficie de 775 km²) fut créée en 1968 dans le but de conserver la faune, établir des lieux de chasse, pêche et d'activités de plein air.

À l'est

◼ PARC DE LA CHUTE MONTMORENCY

Avant de déboucher dans le Saint-Laurent, la rivière Montmorency quitte brutalement le bouclier canadien par une chute de 83 m, le « saut de Montmorency ». Bien que moins large que les chutes du Niagara, le saut est plus haut d'une trentaine de mètres. Bien entendu, le site a été aménagé en vue d'offrir aux visiteurs des points de vue grandioses (téléphérique, escalier panoramique, pont suspendu, belvédères, sentiers de promenade et aires de pique-nique).

La chute Montmorency.

La chute est encore plus spectaculaire en hiver lorsqu'elle est gelée et que s'est créé le « pain de sucre », énorme cône de glace formé par la cristallisation de la vapeur d'eau en suspension.

■ CÔTE DE BEAUPRÉ

Cette étroite bande de terre, située entre le Bouclier canadien et la rive nord du Saint-Laurent, s'étend à l'est de la ville de Québec jusqu'à Baie-Saint-Paul, où commence la côte de Charlevoix proprement dite. C'est à la vue des vertes prairies bordant le fleuve que Jacques Cartier se serait écrié : « Quel beau pré ! », d'où l'origine du toponyme. C'est là, sur ces terres fertiles, que Champlain fit bâtir sa première ferme et que les colons s'établirent à partir de 1630. La région, entièrement dédiée à la mère de la Vierge, est célèbre pour ses pèlerinages à Sainte-Anne-de-Beaupré, pour le mont Sainte-Anne, station de sports d'hiver très courue des Québécois, et

pour les superbes chutes du canyon Sainte-Anne.

■ BASILIQUE SAINTE-ANNE-DE-BEAUPRÉ

C'est un gigantesque édifice néogothique pourvu de deux clochers entre lesquels veille la statue dorée de sainte Anne. À l'intérieur, la basilique se compose de cinq immenses nefs séparées par des colonnes à chapiteaux sculptés, et la voûte en berceau est recouverte de mosaïques relatant la vie de sainte Anne.

L'île d'Orléans

Elle apparaît comme une terre plate, qui présente des érablières au nord, des chênaies au sud-ouest, des zones marécageuses au centre et des plages en bordure du fleuve. Elle n'a rien perdu de sa tranquillité pastorale qui inspira le chanteur Félix Leclerc (il y vécut jusqu'à sa mort). Avec ses églises aux clochers effilés et ses demeures normandes du XVIIIe siècle, elle perpétue l'image de la vie rurale en Nouvelle-France.

© AUTHOR'S IMAGE

Basilique Sainte-Anne-de-Beaupré.

L'île d'Orléans.

La Malbaie.

Chien de traîneau.

Charlevoix

La chaîne de montagnes qui le caractérise, et qui se termine dans le Saint-Laurent, est celle des Laurentides, largement couverte par la forêt boréale. Une partie de sa région a été proclamée Réserve mondiale de la biosphère par l'Unesco en 1988, rien de moins.

Petite-Rivière-Saint-François

Ce village est particulièrement renommé en hiver car les conditions de ski y sont excellentes.

■ MASSIF DE PETITE-RIVIÈRE-SAINT-FRANÇOIS

Le Massif est la plus haute montagne skiable au Québec. Elle offre une dénivellation de 770 m et une vue panoramique à couper le souffle. 49 pistes et sous-bois, 5 remontées mécaniques.

Baie-Saint-Paul

Juste avant d'entreprendre la longue descente vers la baie, arrêtez-vous.

Vous serez sidéré par la vue plongeante sur la vallée du Gouffre où est implantée Baie-Saint-Paul, dans le superbe paysage de sommets boisés d'un vert profond. C'est l'une des villes les plus anciennes du Québec, fondée en 1678. C'est aussi l'un des lieux les plus photographiés de la province et le refuge des artistes québécois depuis fort longtemps. Devant la baie s'étend l'Isle-aux-Coudres, qui semble la fermer.

■ ÎLE-AUX-COUDRES

En 1535, lors de son second voyage, Jacques Cartier la baptise ainsi à cause des couldres (coudriers), ancien nom des noisetiers, qui poussent ici en grand nombre. Vers 1728, les colons viennent s'établir sur l'île qui, pendant longtemps, a appartenu au Séminaire de Québec. Les habitants pratiquent l'agriculture et chassent aussi le béluga, qu'ils appelaient marsouin, pour son huile. La chasse au béluga cessé à la fin des années 1960. L'espèce, menacée de disparition, est aujourd'hui

Église sur l'île-aux-Coudres.

protégée. Faites un tour de l'île à vélo. Profitez-en pour aller voir le monument Jacques-Cartier, le phare, la croix du Cap, la roche à Caya, la Grotte de la Vierge, la maison croche, les moulins, le pilier (vieil indien) et la pointe du Bout d'en bas.

Saint-Aimé-des-Lacs

■ PARC NATIONAL DES GRANDS-JARDINS
Ce parc est un territoire de 310 km² situé au cœur de la réserve mondiale de la biosphère de Charlevoix. Le sommet du mont du Lac-des-Cygnes s'élève à 980 m d'altitude et le panorama est unique. Nombreuses activités de plein air.

■ PARC NATIONAL DES HAUTES-GORGES-DE-LA-RIVIÈRE-MALBAIE
D'une superficie de 2 247 km², ce parc, aire protégée de la réserve mondiale de la biosphère de Charlevoix, abrite l'une des plus impressionnantes vallées du Québec. Les gigantesques parois (dénivellation de 1 000 m) qui encaissent la rivière Malbaie, la beauté des paysages et l'importante valeur écologique de ce parc rendent ce territoire exceptionnel dans l'Est du Canada.

Saguenay-Lac-Saint-Jean

On dit de la région du Saguenay-Lac-Saint-Jean que c'est un pays en soi, isolé derrière une chaîne de montagnes et de denses forêts, en plein centre de la carte du Québec. Ajoutons que la rivière Saguenay, qui s'étire sur 155km, et son fjord, un des plus longs du monde, navigable jusqu'à Chicoutimi, sont l'exutoire naturel du lac Saint-Jean, un lac d'obturation glaciaire.

Sainte-Rose-du-Nord
C'est incontestablement le plus beau et le plus pittoresque village du Saguenay. De tout temps, il a inspiré les peintres, les artistes et les rêveurs.

■ MUSÉE DE LA NATURE
Madame Agnès Villeneuve-Grenon vous accueille chaleureusement dans son bric-à-brac de curiosités de la nature (racines et champignons aux formes insolites) trônant au milieu de superbes spécimens naturalisés de la faune locale.

■ SENTIERS DE LA PLATE-FORME
Aménagés dans les pins, les sentiers mènent à divers belvédères dominant le fjord du Saguenay.

■ SENTIERS DU QUAI
De nombreux petits sentiers de randonnée partent depuis le quai, au centre du village.

Saint-Félix d'Otis

■ SITE DE LA NOUVELLE-FRANCE
Un fascinant voyage dans le temps qui vous transporte au XVIIe siècle en Nouvelle-France sur un site entièrement reconstitué.

Rivière Éternité

■ PARC NATIONAL DU SAGUENAY
Le parc national du Saguenay s'étend sur les deux rives du fjord et se divise en trois secteurs : Baie-Éternité (ouvert à l'année, sentiers fermés de mi-novembre à mi-décembre et en avril), Baie-Sainte-Marguerite (mi-mai à fin octobre) et Baie-de-Tadoussac (mi-mai à début octobre).

Jonquière

■ CENTRE D'HISTOIRE SIR-WILLIAM-PRICE

Situé dans les murs d'une chapelle de 1912, le Centre d'histoire Sir-William-Price évoque le développement industriel de la région, notamment l'histoire de l'industrie du papier.

Le tour du lac Saint-Jean

Le lac Saint-Jean offre 210 km de rives et des grands espaces à faire rêver l'amant de la nature qui sommeille en vous. Lieux paisibles de villégiature, activités de plein air innombrables, attraits majeurs, sites historiques, boutiques de produits régionaux… tout y est pour un séjour inoubliable au pays des bleuets.

Chambord

■ VILLAGE HISTORIQUE DE VAL-JALBERT

Construite en 1901, la grande pulperie de Val-Jalbert, reprise par Alfred Dubuc, produisait chaque jour 50 tonnes de pâte à papier mécanique exportées ensuite vers les Etats-Unis et l'Europe. L'usine faisait vivre un village modèle de 950 personnes, doté de l'électricité et du chauffage, avant d'être à son tour victime de la grande crise et contrainte de fermer ses portes en 1927. Tributaire de l'usine, la population doit quitter les lieux. Pendant près de 60 ans, les maisons qui ont abrité les familles des ouvriers sont restées à l'abandon, comme dans un village fantôme. Aujourd'hui, elles sont restaurées et animées d'habitants en costumes d'époque. Un trolley bus dessert le village et en fait le tour. C'est un vrai dépaysement que cette remontée dans le temps, un rien nostalgique.

Saint-Félicien

Carrefour important de la région, cette petite ville industrielle posée sur les rives des rivières Ashuapmushuan, Mistassini et Ticouapé, est surtout connue pour son zoo. Le territoire de Saint-Félicien fut jadis le complice des allées et venues des Montagnais.

■ ZOO SAUVAGE DE SAINT-FÉLICIEN

Les humains en cage, les animaux en liberté ! Un concept unique et l'une des grandes attractions du Québec. Assis dans un train grillagé, vous ferez une balade inoubliable à travers le Canada d'est en ouest, parmi sa faune étonnante.

Péribonka

Péribonka « là où le sable se déplace » se situe à proximité de la rivière Péribonka, du Lac-Saint-Jean et du parc national de la Pointe-Taillon. On se souvient de Louis Hémon, qui a rendu célèbre ce petit village qu'il décrit dans son roman Maria Chapdelaine, publié en 1914.

■ MUSÉE LOUIS-HÉMON

Lieu historique qui évoque les émouvants passages du roman *Maria Chapdelaine* à travers des écrits et objets personnels. Sur le site, un sentier pédestre conduit les visiteurs sur les traces de Maria.

Alma

Vie culturelle et artistique, quartiers patrimoniaux, nombreuses activités de plein air… Alma est la capitale jeannoise au pays des bleuets.

■ QUARTIER PATRIMONIAL DE RIVERBEND

À 15 minutes à pied du centre-ville d'Alma, vous découvrez ce qui fut la plus

Maison dans la région du Bas Saint-Laurent.

petite ville d'Amérique du Nord dans les années 1920. En effet, 34 maisons d'architecture nord-est américaine furent bâties entre 1924 et 1926, afin d'accueillir les cadres supérieurs anglophones de l'entreprise Price.

■ VÉLOROUTE DES BLEUETS
Le circuit de 271,8 km parcourt le lac, traversant une quinzaine de municipalités et villages pittoresques. Il donne accès au Parc national de la Pointe-Taillon, à des points d'eau, ainsi qu'à de nombreux sites et attraits touristiques.

Le Bas Saint-Laurent

C'est la destination des grands espaces. Au crépuscule (on dit la brunante au Québec), vous admirerez les plus beaux couchers de soleil du monde. Le Bas Saint-Laurent est aussi le chemin qui mène à la péninsule gaspésienne et à son célèbre rocher, aux Provinces Maritimes et à l'océan Atlantique.

Kamouraska
C'est l'un des plus anciens villages de la côte sud et par conséquent un des plus pittoresques. Le berceau d'un peuple, comme on se plaît à le dire. Ici commence la mer. L'eau douce est maintenant salée.

Rivière du Loup
La ville est bâtie dans un site enchanteur, au flanc des monts Notre-Dame, face au massif laurentien. Ses trois collines abritent les paroisses de Saint-Ludger et Saint-François-Xavier. Saint-Patrice est une station balnéaire qui a reçu des gens aussi illustres que les Premiers ministres Louis Saint-Laurent et John A.McDonald, dont vous pouvez admirer les résidences.

■ COUCHER DE SOLEIL SUR LE FLEUVE
Selon un magazine américain, ce serait l'un des plus beaux du continent. Quand le soleil se couche, il dépose une traînée de petites lumières scintillantes qui traverse le Saint-Laurent.

■ STATION EXPLORATOIRE DU SAINT-LAURENT

Les biologistes du Réseau d'observation des mammifères marins (ROMM) ont mis sur pied ce centre où une exposition permanente vous fera découvrir les nombreux secrets de la biodiversité marine.

Îles du Bas-Saint-Laurent

L'archipel des Pèlerins tire son nom du mirage provoqué par la rencontre des masses d'air chaud et froid qui, déformant le profil de ces quatre îles, les fait ressembler à des pèlerins coiffés d'une cagoule. Les 7,5 km de longueur sont colonisés par de petits pingouins, nombreux et actifs. Mais l'espace est disputé par d'autres variétés d'oiseaux : grands hérons, guillemots à miroir, etc.

Le Bic

C'est le plus grandiose panorama du Bas-du-Fleuve. Une légende raconte qu'à la Création, l'ange chargé de distribuer les îles et les montagnes a vidé à cet endroit le reste de son sac. En sont sorties des îles d'une grande beauté. Il y a aujourd'hui un village et un parc.

■ PARC NATIONAL DU BIC

Situé dans l'estuaire maritime du Saint-Laurent, le parc national du Bic (d'une superficie de 33,2 km²) se compose de caps, baies, anses, îles et montagnes. Le pic Champlain (baptisé par Champlain en 1603) est la plus haute montagne de ce parc. Vous y apprécierez les bruits et les odeurs de la mer ainsi que le vent marin et les magnifiques couchers de soleil. Vous pourrez y voir s'ébattre des phoques gris et des communs et observer les milliers d'oiseaux marins venant nicher.

Rimouski

Rimouski est la métropole du Bas-du-Fleuve, sa capitale administrative et culturelle. Les origines de la ville, située sur trois monts, au bord du fleuve Saint-Laurent, remontent aux Indiens Micmacs qui campaient sur le bord de la rivière qu'ils scrutaient attentivement.

■ EXCURSION À L'ÎLE SAINT-BARNABÉ

L'excursion à l'île Saint-Barnabé vous permettra d'apercevoir Rimouski sous un autre angle.

■ MAISON LAMONTAGNE

Cette construction typique est la seule habitation à colombage du Québec (car non adaptée aux rigueurs de l'hiver) et la plus vieille maison de l'est du Québec (construite vers 1744).

La Gaspésie

La péninsule gaspésienne est l'une des destinations privilégiées du Québec. Quand on dit Gaspésie, on pense aussitôt homard, saumon, crevette. On pense aussi rocher Percé, île Bonaventure, fous de Bassan, baie des Chaleurs, Forillon, jardins de Métis, forêts de conifères, rivières, caps, anses, grèves, fossiles et agates.

Grand-Métis et Métis-sur-Mer

À la porte d'entrée de la péninsule gaspésienne, Grand-Métis et Métis-sur-Mer sont aujourd'hui encore des destinations privilégiées de la bourgeoisie anglaise de Montréal.

■ JARDINS DE MÉTIS

Ces jardins à l'anglaise d'une superficie de 17 hectares bénéficient d'un microclimat exceptionnel. Ils comprennent plus de 3 000 espèces de fleurs et de plantes ornementales, parmi lesquelles certaines sont très rares.

Sainte-Anne-des-Monts

Terre d'aventure où mer et montagnes se rencontrent, nichée au creux d'une anse, la ville de Sainte-Anne-des-Monts est un véritable terrain de jeux pour les amateurs de plein air et de grands espaces. C'est également la porte d'entrée pour le parc national de la Gaspésie.

■ PARC NATIONAL DE LA GASPÉSIE

Situé en plein cœur de la péninsule gaspésienne, le parc national de la Gaspésie (802 km²) est une véritable mer de montagnes qui offre un panorama grandiose. Le parc compte 25 sommets de plus de 1 000 m dont les monts Albert (1 154 m) et Jacques-Cartier (1 268 m). Ces sommets, parmi les plus hauts de l'Est du pays, sont célèbres pour leur végétation subarctique identique à celle du Grand Nord québécois.

Mont-Saint-Pierre

Capitale du vol libre aux paysages exceptionnels, il est le village préféré de bien des habitués du tour de Gaspésie. Avec sa longue anse ceinturée de montagnes abruptes et sa vaste plage de galets, c'est l'endroit idéal pour cacher un trésor, en même temps qu'une halte reposante. L'été, les ailes multicolores des parapentes et des deltaplanes viennent habiller le ciel.

■ RÉSERVE FAUNIQUE DES CHIC-CHOCS

La réserve faunique des Chic-Chocs (1 129 km²) se divise en deux parties bien distinctes : la majeure partie du territoire située au sud et à l'est du parc de la Gaspésie, l'autre partie au nord du parc. On compte 42 lacs et de nombreux ruisseaux et rivières.

Gaspé

C'est ici qu'en juillet 1534 Jacques Cartier plante sa croix, prenant symboliquement possession du Canada au nom du roi de France. Le centre-ville de Gaspé constitue un bon point de chute pour la visite des attraits des environs.

■ MUSÉE DE LA GASPÉSIE

Joliment situé en bordure de la baie de Gaspé, il permet de mieux comprendre l'histoire de la région et son peuplement.

■ SITE D'INTERPRÉTATION DE LA CULTURE MICMAC DE GESPEG

Les visites guidées, animations, expositions et dégustations de Gespeg vous introduiront à la culture traditionnelle des Micmacs de la Gaspésie au XVIe siècle.

■ PARC NATIONAL DE FORILLON

Ce parc national a été conçu sous le thème de l'harmonie entre l'homme, la terre et la mer. Outre la configuration de son paysage constitué de falaises abruptes, de plages de galets et de grottes, il offre le très grand attrait de sa faune et de sa flore.

Percé

Percé doit son nom à un spectaculaire rocher, percé sous l'effet de l'érosion marine, qui se dresse tout près de la côte. On a calculé qu'il pesait environ 5 millions de tonnes et qu'il est là, les pieds dans l'eau, depuis 350 millions d'années. Son site exceptionnel ne cesse d'inspirer les artistes et d'attirer les touristes du monde entier.

Percé doit son nom à ce spectaculaire rocher.

L'île Bonaventure, située au large de Percé mais bien visible, est un sanctuaire d'oiseaux migrateurs qui accueille environ 250 000 oiseaux (mouettes, guillemots marmettes, macareux, cormorans, goélands, petits pingouins), dont 110 000 forment la colonie de fous de Bassan. Un spectacle unique qu'il faut voir de près. Ajoutez à cela le mont Sainte-Anne, juste derrière l'église, avec sa grotte, sa crevasse et ses failles, et vous aurez une idée des richesses offertes par ce coin de Gaspésie.

Bonaventure

Bastion acadien de la baie des Chaleurs, la ville de Bonaventure a été fondée en 1760 suite à la déportation des Acadiens des villages du sud des Provinces Atlantiques (Beaubassin, Port-Royal, Grand-Pré).

■ MUSÉE ACADIEN DU QUÉBEC
Ce musée d'histoire et d'ethnologie relate la vie fascinante et émouvante des Acadiens du Québec.

■ GROTTE DE SAINT-ELZÉAR
Elle aurait près d'un demi-million d'années. On peut y observer de nombreuses concrétions stalactites, stalagmites et autres.

Les îles de la Madeleine

Cet archipel d'une douzaine d'îles est situé à quelques centaines de kilomètres au large de la péninsule de Gaspésie et du Nouveau Brunswick. « Aux îles », comme on dit, tout est accentué: la langue, les falaises rouges, les dunes de sable et les couleurs éclatantes des maisons.

Île du Havre-Aubert

Au sud-est de l'île, Havre-Aubert a été longtemps le chef-lieu des îles de la Madeleine. Aujourd'hui, on y vient pour admirer les Demoiselles, de drôles de buttes aux formes arrondies. On les découvrira le long d'une belle route panoramique, bordée de maisons traditionnelles. Le site historique de la Grave avec une petite plage de galets au charme unique mérite le déplacement. L'île compte trois belles grandes plages : Sandy Hook (12 km), la plage de l'Ouest (3,8 km), et la plage du Cap (13 km).

■ AQUARIUM DES ÎLES

L'occasion d'observer plusieurs espèces de crustacés, de poissons et de mollusques qui vivent autour des Îles.

■ BAIE DU HAVRE
AUX BASQUES

Le Havre aux Basques est un des endroits de prédilection du kitesurf et autres sports de voile.

■ BASSIN

Partie sud de l'île. La route panoramique serpente entre les maisons de la Pointe à Marichite jusqu'à l'Étang-des-Caps. Vous ferez un arrêt : au phare de l'Anse-à-la-Cabane, sur le cap du sud, à la plage de la Dune de l'Ouest où vous assisterez à de très beaux couchers de soleil, enfin aux hautes falaises de grès rouge de l'Étang-des-Caps.

■ LA GRAVE

Vient du mot grève, signifiant terrain cailouteux et sablonneux. C'est, au bout du Havre-Aubert, une plage de galets classée site historique depuis 1983 et dotée d'un petit port de plaisance.

■ ARTISANS DU SABLE –
ÉCONOMUSÉE DU SABLE

Des artistes d'ici travaillent le sable pour en tirer toutes sortes de formes et de couleurs étonnantes.

■ MUSÉE DE LA MER

Ce musée retrace l'histoire de la pêche côtière et hauturière, en exposant toutes les méthodes et les différents bateaux utilisés.

Île d'Entrée

On y accède en une heure en prenant le bateau de Cap-aux-Meules. Big Hill est le plus haut sommet des Îles de la Madeleine (174 m). Du sommet, vous découvrirez une belle vue sur l'archipel.

Île du Cap aux Meules

C'est dans la ville de Cap-aux-Meules, petit port très fréquenté, que vous débarquerez en arrivant de Souris (Île-du-Prince-Édouard) ou de Montréal. D'ici vous embarquerez pour des excursions de pêche ou d'observation des falaises, quand vous ne décriderez pas tout simplement d'y séjourner. Autres lieux de séjour : Fatima et Étang-du-Nord. L'île compte trois belles grandes plages : plage de la Martinique (13 km), plage de la Dune de l'Ouest (8,7 km), et la plage de la Dune-du-Nord (16,5 km). Monter à la Butte-au-Vent, le point culminant de l'île, et admirer le point de vue sur l'ensemble de l'archipel. Admirer les falaises rouges de Belle-Anse, érodées par la mer, qui en a sapé les pans. Longez ces falaises jusqu'au Cap-au-Trou, où les vagues acharnées ont creusé la falaise de grès friable et où des arches sont apparues.

Île Havre aux Maisons

Une marina, des petits quais, des rochers rouges dominant la mer, une petite baie, avec l'île du Cap-aux-Meules en arrière-plan, composent le paysage, tout près de l'île aux Cochons. Une île où nichent des espèces variées d'oiseaux parmi les bleuets de la dune (en saison, il n'y a qu'à se baisser).

Île de la Grande Entrée

La capitale du homard accueille le festival du homard en juillet.

VISITE

Le Québec

On y pratique également la culture de la moule bleue. Grande-Entrée a été un port de pêche important à la fin du XIXe siècle. La pointe de la Grande-Entrée offre un spectacle particulièrement saisissant.

Côte nord

Tadoussac

Le village de Tadoussac occupe un superbe site. Il est abrité au fond d'une baie sableuse entourée de collines boisées : la colline de l'Anse-à-la-Barque, la colline de l'Anse-à-l'Eau, et la pointe de l'Islet. Tadoussac est fréquenté par les touristes du monde entier qui viennent, de plus en plus nombreux, voir les baleines, présentes ici de mai à octobre. Chaque année, ces gigantesques mammifères marins remontent le Saint-Laurent jusqu'à l'embouchure du Saguenay, particulièrement riche en plancton, afin de constituer des réserves alimentaires.

■ CENTRE D'INTERPRÉTATION DES MAMMIFÈRES MARINS (CIMM)
Exposition qui, avant ou après votre excursion, vous permettra d'en connaître

Forêt en hiver sur la côte nord.

davantage sur les mammifères marins fréquentant le fleuve Saint-Laurent.

■ PARC MARIN DU SAGUENAY-SAINT-LAURENT
D'une superficie de plus de 1 000 km², il s'étend dans les régions du Bas-Saint-Laurent, Charlevoix, Côte-Nord et Saguenay-Lac-Saint-Jean, et a pour mandat de conserver les espèces et les écosystèmes d'une partie de l'estuaire du Saint-Laurent et du fjord du Saguenay. Véritable richesse, tant au niveau de la faune et de la flore qu'au niveau des paysages, grandioses.

■ PROMENADE DE L'ISLET
Un sentier fait le tour de cette pointe rocheuse couverte de pins et de sapins fermant la baie de Tadoussac. Son parcours offre des vues superbes sur l'embouchure du Saguenay et le Saint-Laurent.

Sept-Îles

Sept-Îles est une ville accueillante, dont le caractère maritime se reflète dans ses paysages, son patrimoine et sa culture.

■ MUSÉE RÉGIONAL DE LA CÔTE-NORD
Le musée régional de la Côte-Nord est un musée d'histoire et d'archéologie qui se consacre à la conservation, à l'étude et à la mise en valeur du patrimoine régional nord-côtier.

■ ARCHIPEL DES SEPT ÎLES
L'archipel des Sept Îles est un lieu de ressourcement dans un cadre maritime exceptionnel. Observation des oiseaux et des mammifères marins. Sur l'île Grande Basque, camping et sentiers de randonnée.

Archipel de Mingan

La réserve du parc national de l'Ar-
chipel-de-Mingan égrène sa trentaine
d'îles et d'îlots sur 82 km. Havre-Saint-
Pierre fait face à l'île du Havre, habillée
de falaises rocheuses en haut desquelles luisent des conifères. Les îles
de Mingan présentent une curiosité
géologique : des monolithes ou « pots
de fleurs » géants de 5 à 10 m de hauteur, étrangement sculptés par la mer
et qui doivent leur forme à une couche
supérieure de calcaire plus résistant
que leur pied friable.

■ RÉSERVE DU PARC NATIONAL DU CANADA DE L'ARCHIPEL DE MINGAN

La réserve est constituée d'une quarantaine d'îles et de plus de deux milliers
d'îlots et de récifs.

Île d'Anticosti

Elle occupe une position clé, à l'entrée
de la route maritime qui pénètre au
cœur du Québec et du Canada. Jadis
les bateaux la redoutaient comme la
mort, l'évitant autant que possible, en
raison de la plate-forme sous-
marine et rocheuse qui l'entoure,
du brouillard épais et des violentes
tempêtes qui jetaient les navires à la
côte. Sa réputation de « cimetière du
golfe » s'accompagnait aussi de récits
de naufrageurs, de détrousseurs de
cadavres et de massacres à faire
frémir, telle la tragédie du Granicus
en 1828. Aujourd'hui, la quasi-totalité
de l'île est une réserve provinciale
couvrant 4 575 km².

■ ANSE-AUX-FRAISES
Vestiges d'un village de pêcheurs.

■ PORT-MENIER
L'unique village de l'île, situé dans la
baie Gamache, a été choisi au début
du siècle en raison de son port en
eau profonde.

■ BAIE SAINTE-CLAIRE
Baie-Sainte-Claire, berceau du peuplement anticostien, a longtemps été le
plus important village de l'île. La chasse y étant interdite, c'est aujourd'hui
le lieu idéal pour observer les cerfs
de Virginie.

■ POINTE-OUEST
Elle porte le premier phare de l'île.
Élevée en 1858, sa lumière porte à
50 km à la ronde. Malgré une série
de phares construits au XIXe siècle, les
naufrages restèrent nombreux. Depuis
le XVIIIe siècle, 200 navires auraient
sombré dans les parages de l'île. Près
de la côte, vous pouvez apercevoir
l'épave du chalutier Le Calou, échoué
en 1982.

■ PARC NATIONAL D'ANTICOSTI
Territoire insulaire de 572 km², le Parc
national d'Anticosti est d'une beauté
sauvage et fascinante.

■ GROTTE À LA PATATE
Ses dimensions sont impressionnantes : 10 m de hauteur d'entrée sur 7 m
de large et 80 m de long, et une galerie
longue de 600 m se rétrécissant progressivement.

■ CANYON ET CHUTE DE LA VAURÉAL
Cet impressionnant canyon de 90 m
de profondeur a été creusé dans le
calcaire par la rivière Vauréal, à 9 km
de son embouchure.

■ BAIE-DE-LA-TOUR
Dominée par les superbes falaises
calcaires de la pointe Easton, qui tom-
bent à pic dans la mer, cette baie offre
aussi une belle plage de sable.

Les provinces atlantiques

Brossées par les vents de l'océan, baignées par les eaux plus calmes du golfe du Saint-Laurent, les quatre provinces situées à l'est du Québec forment la façade atlantique du Canada.

Nouveau-Brunswick

Fredericton

Au bord du large fleuve Saint-Jean, la capitale du Nouveau-Brunswick est une ville paisible aux élégantes maisons victoriennes dissimulées dans la verdure. La ville fut fondée en 1783 par des loyalistes, sur l'emplacement d'un ancien village acadien.

■ ASSEMBLÉE LÉGISLATIVE DU NOUVEAU-BRUNSWICK
Des visites guidées permettent de découvrir cet édifice dans lequel siège le gouvernement du Nouveau-Brunswick depuis 1882.

■ CATHÉDRALE CHRIST CHURCH
Un gracieux édifice de style néogothique datant de 1853 et entouré de jolies demeures en bois de style loyaliste. À l'intérieur, charpente en bois et vitraux.

■ QUARTIER HISTORIQUE DE LA GARNISON
Le quartier historique de la garnison, ancien chef-lieu des activités de l'armée britannique dans la province du Nouveau-Brunswick, est le siège de nombreuses activités estivales.

© ELENATHEWISE - FOTOLIA

Maisons colorées dans la région du Nouveau-Brunswick.

■ **VILLAGE HISTORIQUE
DE KINGS LANDING**

Un voyage dans le temps ! Le village a été édifié, après la guerre d'Indépendance américaine, par d'anciens soldats des régiments de dragons du roi. Il restitue une image fidèle de la vie que les Loyalistes menaient dans la région au XIXe siècle. Le site est particulièrement plaisant. Une centaine de personnes en habit d'époque expliquent les travaux quotidiens de ce qu'était autrefois la vie rurale.

Caraquet

La plus grande ville de la péninsule, dotée de plusieurs hôtels et restaurants, est le centre culturel de l'Acadie. C'est là que se déroule, en août, le festival acadien, marqué par la traditionnelle bénédiction de la flotte.

■ **VILLAGE
HISTORIQUE ACADIEN**

On a remonté ici une quarantaine de maisons, fermes et entrepôts authentiques, dont la plupart datent de 1770 à 1890, et qui proviennent de toute la province. Le village acadien s'étire sur 1,6 km et des interprètes en costumes d'époque vous feront revivre les coutumes et métiers traditionnels.

Kouchibouguac

■ **PARC NATIONAL
DU CANADA
DE KOUCHIBOUGUAC**

Ce magnifique parc, l'un des plus sauvages des Provinces atlantiques, est recouvert d'une forêt de conifères, notamment de cèdres, et parsemé de tourbières. Son nom micmac signifie « rivière aux longues marées » car, le terrain étant plat, l'eau des marées se mélange à l'eau des rivières sur plu-

sieurs kilomètres. Sa côte est une succession de marais salants, de lagunes, de dunes et de plages de sable doré où les eaux chaudes sont propices à la baignade (plages Kellys et Callanders, avec aires de pique-nique).

Bouctouche

Cette petite ville donnant sur une large baie aux eaux calmes a été fondée, à la fin du XVIIIe siècle, par les Acadiens chassés de la vallée de Memramcook. Bouctouche est le lieu de naissance de la romancière et auteur de pièces de théâtre Antonine Maillet, et de l'industriel Irving, qui laissa à sa mort un empire colossal rassemblant de nombreux secteurs, dont celui du pétrole.

■ **ÉCO-CENTRE IRVING :
LA DUNE DE BOUCTOUCHE**

Ce centre a pour mission de protéger ce fragile écosystème. La dune s'étend sur 12 km le long de la baie de Bouctouche, ouverte sur le détroit de Northumberland et bordée d'une superbe plage de sable (baignade possible). Cette dune, qui protège le marais salant de la baie, a été formée par l'action constante du vent, des marées et des courants marins depuis la dernière période glaciaire.

■ **PAYS
DE LA SAGOUINE**

Ce site fait revivre l'Acadie du début du siècle et s'inspire de la célèbre pièce de théâtre d'Antonine Maillet, la Sagouine. Le principal point d'attraction est l'Île-aux-Puces, à laquelle on accède par une longue passerelle et où ont été reconstituées des maisonnettes de pêcheurs aux couleurs vives ainsi qu'un quai où sont amarrées des barques plates.

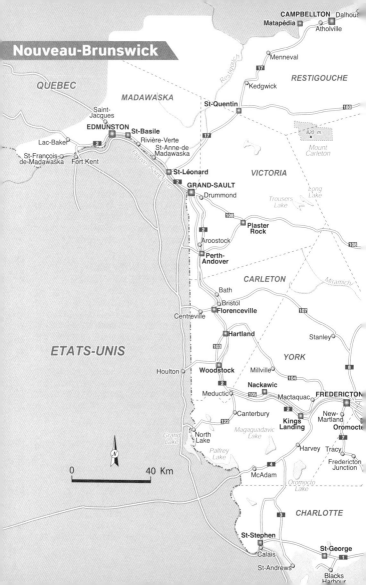

Shediac

La ville de Shediac est un lieu de villégiature qui doit sa popularité à sa superbe plage, Parlee Beach aux eaux chaudes idéales pour la baignade. C'est également la capitale mondiale du homard.

Aulac

■ LIEU HISTORIQUE NATIONAL DU CANADA DU FORT BEAUSÉJOUR – FORT CUMBERLAND

Situé sur l'isthme de Chignecto, étroite bande de terre reliant le Nouveau-Brunswick à la Nouvelle-Écosse, ce fort, dont il ne subsiste que quelques casemates et talus herbeux, offre, par beau temps, un superbe panorama sur le bassin du Cumberland, au fond de la baie de Fundy.

Moncton

La capitale acadienne est située au bord de la rivière Petitcodiac, soumise à l'impressionnant phénomène du mascaret. La population est francophone pour un tiers. L'université de Moncton (1963) est à l'origine de la renaissance acadienne. La ville est connue pour sa côte magnétique. Les automobilistes, invités à couper le contact de leur moteur, auront la surprise de voir leur véhicule gravir la pente en marche arrière. Cela serait dû au magnétisme induit par la présence d'uranium…

Nouvelle-Écosse

Cette province du Canada atlantique se présente comme une grande péninsule qu'une étroite langue de terre, l'isthme de Chignecto, rattache au Nouveau-Brunswick. La mer qui la ceinture presque complètement est à l'origine de sa vocation maritime.

Halifax

Charmante ville portuaire mais aussi le plus grand centre urbain des Provinces atlantiques, la capitale de la Nouvelle-Écosse ne cache pas ses racines écossaises. Une atmosphère décontractée et joyeuse règne dans ses nombreux pubs et dans ses rues bordées de vieilles maisons géorgiennes.

■ HISTORIC PROPERTIES

Sur le bord de l'eau, le vieux quartier des entrepôts a été rénové et réservé aux piétons. Des bâtiments de brique datant du XIXe siècle abritent toutes sortes de boutiques, tandis que la promenade de planches qui longe le port est animée de restaurants et de pubs.

■ LIEU HISTORIQUE NATIONAL DU CANADA DE LA CITADELLE D'HALIFAX

C'est la quatrième fortification bastionnée érigée sur ce site par les Anglais depuis 1749, en vue de se protéger d'éventuelles attaques. La reconstitution de scènes militaires d'époque par des acteurs talentueux rend la visite très ludique. Le passé d'Halifax et l'histoire militaire de la citadelle sont retracés dans les salles d'exposition.

■ MUSÉE MARITIME DE L'ATLANTIQUE

Il réunit des bateaux de toutes tailles, de la maquette aux modèles grandeur nature, et présente des expositions sur l'histoire maritime de la province: âge d'or de la marine à voile, époque des navires à vapeur… Le naufrage du Titanic, dont 156 victimes sont enterrées dans les différents cimetières d'Halifax, ainsi que l'explosion du bâtiment français le Mont-Blanc, chargé de 2 500 tonnes d'explosifs destinés au front, sont évidemment des sujets longuement traités.

■ PIER 21
C'est par ce bâtiment que sont entrés au Canada, entre 1928 et 1971, plus d'un million d'immigrants, pour la plupart venus d'Europe. Restauré et ouvert au public depuis quelques années, Pier 21 a recueilli de nombreux témoignages d'immigrants qui sont arrivés au Canada par ce bureau d'immigration. Leurs paroles sont merveilleusement conservées et commentées.

Lunenburg
C'est un port de pêche très actif. Les maisons d'époque et les bâtiments colorés rappellent l'architecture du Vieux Continent. Lunenburg a d'ailleurs été classé au Patrimoine mondial de l'Unesco en raison de son architecture.

Parc national de Kejimkujik
Le parc national de Kejimkujik occupe, en plein cœur de la Nouvelle-Écosse, une région de lacs, à l'atmosphère étrange et envoûtante, qui couvre un territoire boisé de 381 km². Les tribus Micmacs, qui autrefois le peuplaient, y avaient établi leur camp de chasse et de pêche, en raison des rivières tranquilles et poissonneuses qui le sillonnent.

Annapolis Royal
Situé dans un joli site, en bordure de l'estuaire de la rivière Annapolis qui débouche dans la baie de Fundy, cette petite ville paisible montre quelques belles maisons victoriennes. Elle fut rebaptisée au XVIIIe siècle, en l'honneur de la reine Anne Stuart, lorsqu'elle devint la capitale de la Nouvelle-Écosse,

après avoir été celle de l'Acadie française sous le nom de Port-Royal. Son bassin, dans la baie de Fundy, enregistre les marées parmi les plus hautes du monde.

■ HISTORIC GARDENS
On y découvre plusieurs styles de jardins : victorien, acadien, roseraie… répartis dans un magnifique espace de dix acres.

■ LIEU HISTORIQUE NATIONAL DU CANADA DU FORT ANNE
On a du mal à croire que ce lieu paisible fut, en son temps, un champ de bataille où Français et Anglais s'affrontaient régulièrement (plus de quatorze sièges). Le musée installé dans l'ancien quartier des officiers (XVIIIe siècle) évoque l'histoire militaire du site. On ne manquera pas la remarquable tapisserie retraçant les 400 ans d'histoire de la région.

■ LIEU HISTORIQUE NATIONAL DU CANADA DE PORT-ROYAL
L'habitation de Port-Royal – c'est-à-dire le premier établissement permanent élevé par Champlain en 1605 – a été reconstituée par le gouvernement canadien en 1938, d'après les croquis et les notes de Champlain. Le site est animé par des interprètes en costume d'époque.

Grand Pré

■ LIEU HISTORIQUE NATIONAL DU CANADA DE GRAND PRÉ
Grand Pré est en quelque sorte le lieu de mémoire des Acadiens, symbolisé par la petite église commémorative, construite en 1930 à l'emplacement supposé de l'église et du cimetière du village acadien des XVIIe et XVIIIe siècles.

ILE DU
PRINCE EDOUARD

NOUVEAU-BRUNSWICK

Tidnish

AMHERST   Pugwash

CUMBERLAND

Chignecto
Game Sanctuary

Chignecto   New
Bay   Salem   Economy

Minas Channel   Scots Bay   Minas
                                        Bassin
                                                Walton

                                        Cheverie
                    KENTVILLE   Port
                                Williams
BAIE DE FUNDY   WOLFVILLE   Hantsport
                                                    Enfield
                    GREENWOOD   HANTS
                                Gaspereau   Fall river
                            KINGS Lake
            Bridgetown   Beaver
                                Sherbrooke   Bank
        Annapolis   Lake   BEDFORD
        Royal   ANNAPOLIS   Springfield   DARTMOUTH
Waterford Digby   Chester   HALIFAX
        Acaciaville   LUNENBURG   Harriesfield
                Kejimkujik   New   Deep
    Plympton   National Park   Germany Cole
                                              Mahone
Freeport   Harmony   Bay
        Comeauville   Tobeatic Mills BRIGEWATER
                        Wildlife   LaHave   Lunenburg
St Mary's   Management
Bay   Beaver   Area   Broad
        River Richfield   Cove
                        Lake   Brooklyn
                        Rossignol
            Kemptville   Liverpool
    Overton YARMOUTH
YARMOUTH Arcadia   Lower   SHELBURNE
        Argyle   Ohio   Seaside Adjunct
                Shelburne Lockport Kejimkujik
        Pubnico   National Park

            Ingomar

    Clark's   Cape Sable
    Harbour

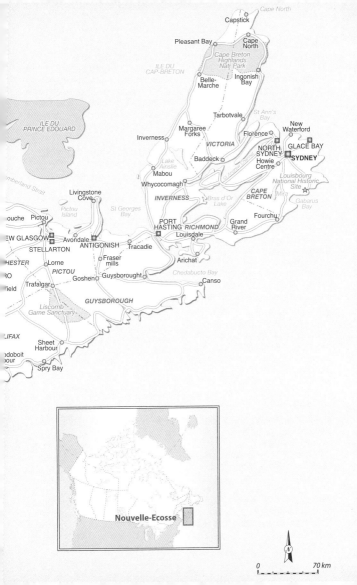

Celle-ci se trouve au milieu d'un beau parc entouré de vieux saules et agrémenté d'étangs. Dans l'église, l'histoire mouvementée des Acadiens et leur déportation lors du Grand Dérangement de 1755 sont évoquées à travers des tableaux et des expositions.

Cape Breton Island Region

L'île du Cap-Breton est habitée par deux communautés, celle importante des Écossais de culture gaélique et celle des Acadiens francophones. Elle présente une grande diversité de paysages : vastes espaces balayés par les vents, côtes déchiquetées, intérieur vallonné, immense lac central du Bras d'Or. Mais surtout, elle abrite dans sa péninsule septentrionale un des joyaux de la province : le parc national des Hautes-Terres, que traverse le célèbre Cabot Trail. On y accède par le Ceilidh Trail, qui longe la côte occidentale.

■ CHETICAMP

C'est à Chéticamp, fondé en 1785 par des Acadiens, que la culture et l'esprit acadien soufflent véritablement. Autour de ce centre sont regroupés 3 500 Acadiens des villages voisins : Petit Étang, la Prairie, Belle Marche, le Plateau… Allez d'ailleurs faire un tour au Musée Acadien.

■ PARC NATIONAL DU CANADA DES HAUTES-TERRES-DU-CAP-BRETON

Pris en tenailles par les eaux du Saint-Laurent et celles de l'océan Atlantique, bordé par le magnifique Cabot Trail, le parc national des Hautes-Terres-du-Cap-Breton offre une succession de panoramas spectaculaires. Ses forêts, ses ruisseaux, ses lacs et son vaste plateau central constituent un ensemble unique.

■ LIEU HISTORIQUE NATIONAL DU CANADA ALEXANDER GRAHAM BELL

Outre l'invention du téléphone, le célèbre M.Bell a créé le bateau le plus rapide du monde (à son époque), a amélioré le phonographe, le cerf-volant, les avions. On découvre tout cela dans ce musée interactif.

■ LIEU HISTORIQUE NATIONAL DU CANADA MARCONI

Saviez-vous que le premier message radio transatlantique parti d'ici ? Il fut envoyé en décembre 1902, grâce à une antenne métallique suspendue à 4 tours géantes en bois.

■ LIEU HISTORIQUE NATIONAL DU CANADA DE LA FORTERESSE DE LOUISBOURG

Le lieu historique national de la Forteresse-de-Louisbourg fut l'une des plus importantes places fortes du continent américain et la capitale de l'île Royale (Cap-Breton), du temps où cette dernière appartenait à la France. C'est aujourd'hui la plus vaste reconstitution historique d'Amérique du Nord et sans doute, la plus spectaculaire. On ne manquera pas la visite du Bastion du roi: la résidence du gouverneur aux nombreuses pièces décorées avec raffinement, le quartier des officiers, les casernes, la prison et la chapelle.

■ LAC DU BRAS D'OR

Le lac du Bras d'Or est une véritable mer intérieure qui partage l'île en deux et qui communique, au nord, avec l'Atlantique par deux chenaux : le Great Bras d'Or et le Little Bras d'Or, séparés par l'île Boularderie. Cette vaste étendue d'eau salée est le domaine de l'aigle à tête blanche. Il y a plusieurs réserves micmacs établies près du lac, dont celle de Whycocomagh.

© ELENATHEWISE - FOTOLIA

Île du Prince-Édouard

Ce berceau de la Confédération canadienne est en même temps la plus petite province du Canada. Des petits ports de pêche aux villages de l'intérieur des terres, la vie ici a la réputation de s'écouler paisiblement, dans un cadre naturel exceptionnel.

Région Évangéline

La vie des Acadiens se déroule dans la région Évangéline, entre la baie Bedeque et la baie Egmont. Les petits villages acadiens portent des noms de saints qui témoignent de l'attachement des Acadiens à la religion catholique. On pratique, le long du littoral du détroit, la pêche au hareng, au pétoncle, au maquereau, mais surtout au homard en été.

■ MUSÉE ACADIEN

Partez à la découverte de l'odyssée des Acadiens de l'île de 1720 à nos jours : c'est près de 300 ans de présence acadienne dans la province.

■ VILLAGE DE L'ACADIE

Village historique, artisanat, restaurant de mets traditionnels acadiens. Souper-spectacle en français.

West Point - Le phare

Il s'élève dans le parc provincial de Cedar Dunes, qui offre de jolies plages et constitue un excellent endroit pour l'étude de la flore et de la faune des dunes. Ce phare, construit en 1875 et reconnaissable à ses rayures blanches et rouges, est devenu, en 1984, un petit musée retraçant l'histoire des phares de l'île. De la plate-forme d'observation, le regard embrasse l'ensemble des dunes rouges du rivage.

Cavendish et les environs

Au nord, la région de Cavendish est le haut lieu du tourisme de l'île. Situé près des plus belles plages de cette côte et des principaux points d'intérêt de l'île, Cavendish est aussi la porte d'entrée du parc national de l'île du Prince-Édouard et de Green Gables.

C'est très probablement la plus grande attraction de l'île.

■ GREEN GABLES, LIEU HISTORIQUE NATIONAL LUCY MAUD MONTGOMERY

La romancière Lucy Maud Montgomery (1874 1942), qui était profondément attachée à son île et à la beauté des paysages de Cavendish, a immortalisé la ferme de ses cousins Macneill, non loin de laquelle elle habitait: c'est elle qui a servi de cadre à son célèbre roman Anne of Green Gables, l'un des contes pour enfants les plus populaires de la littérature anglaise.

■ PARC NATIONAL DU CANADA DE L'ÎLE DU PRINCE-ÉDOUARD

Ce parc est parcouru par le Gulf Shore Parkway, qui permet de découvrir un des plus beaux paysages du Canada atlantique. Des sentiers, des chemins de planche et des passerelles conduisent à un littoral qui offre une succession de dunes de sable, de falaises de grès rouge, de marais d'eau saumâtre, d'étangs d'eau douce, de terres boisées et de superbes plages blanches de sable fin. La teinte rouge des falaises contenant de l'hématite provient de l'oxydation de ce minéral riche en fer. Ces falaises sont extrêmement friables. Sous l'action des glaciers et des vagues se sont créés des cordons littoraux et des dunes résultant de l'accumulation du grès érodé. Les vagues, les courants et les vents violents continuent à modeler les dunes de sable fixées seulement par les plantes ammophiles.

Charlottetown

L'animation bat son plein sur les terrasses de café de la Victoria Row, interdite à la circulation, et dans les restaurants de la marina.

■ CENTRE DES ARTS DE LA CONFÉDÉRATION

Ce centre culturel abrite des salles de spectacles, d'exposition et de restaurants, ainsi qu'une galerie d'art présentant quelques peintures canadiennes.

■ LIEU HISTORIQUE NATIONAL DU CANADA PROVINCE HOUSE

Ce bâtiment à trois étages de style géorgien, construit en 1847, est d'importance nationale. Dans sa Chambre de la confédération s'est tenue, en 1864, la rencontre historique qui devait aboutir, en 1867, à la formation du Dominion du Canada. C'est aujourd'hui le siège de l'Assemblée législative.

■ SALLE DES FONDATEURS – PAVILLON DU BERCEAU DU CANADA

Vous vous baladerez à travers l'histoire de la confédération canadienne, de 1864 à nos jours.

Souris

Ce port actif est le seul point d'embarquement pour les îles de la Madeleine. C'est la communauté la plus importante de l'Est de l'île du Prince-Édouard. On pourra également profiter de la plage du parc provincial Souris Beach.

■ PARC PROVINCIAL DE RED POINT

Une halte idéale pour un pique-nique, une balade ou une baignade. La superbe plage de sable blanc (surveillée) est bordée de conifères et de falaises de grès rouge.

■ BASIN HEAD

Le musée (Fisheries Museum) occupe un joli site surplombant un petit port, à proximité d'une superbe plage de sable et de magnifiques dunes. Il est consacré à la pêche côtière et à la vie des pêcheurs d'antan.

Bateau entrant en Terre-Neuve.
© ELENATHEWISE - FOTOLIA

Pense futé

Adresses utiles

■ **AMBASSADE DE FRANCE**
42 Sussex Drive, Ottawa
✆ 613 789 1795
www.ambafrance-ca.org

■ **AMBASSADE DU CANADA**
35, avenue Montaigne
75008 Paris
✆ 01 44 43 29 00
✆ 01 44 43 29 16 (visas)
www.international.gc.ca/
canada-europa/france/menu.asp

Argent

Monnaie

La monnaie en cours au Canada est
le dollar canadien.

Pourboire

Il est habituellement de 15 %, non inclus
dans l'addition. Dans les restaurants,
comptez 15 % de la somme totale due,
en fonction du service fourni.

Bagages

Les étés sont chauds. La climatisation
et les soirées fraîches à la campagne nécessitent des lainages et un
coupe-vent. N'oubliez pas le maillot
de bain, un sac à dos pour les randonnées pédestres et une lotion anti-
moustiques. Il faut un imperméable
doublé au printemps et à l'automne.
En hiver, munissez-vous d'un bonnet,
de moufles et d'une écharpe ainsi que
d'un anorak, de vêtements chauds et
de bottes fourrées.

Faire – Ne pas faire

Faire

→ **Laisser toujours un pourboire d'au
moins 1 CAN $** pour une consommation
au bar. En dessous, vous serez considéré comme cheap (chiche).

→ **Penser à laisser un espace** entre
vous et la personne qui vous précède
dans une file d'attente.

→ **Si vous êtes au volant,** donnez la
priorité aux piétons.

Ne pas faire

→ **Ne rien laisser traîner** sur les sièges
de sa voiture. Verrouiller les portes.

→ **Ne pas se balader les seins nus** sur
une plage, c'est interdit par la loi.

→ **Prendre de l'alcool** et ensuite le volant.

→ **Tabous :** les Amérindiens.

Électricité

Courant alternatif de 110 volts avec
une fréquence de 60 Hz. Les fiches
sont plates à l'américaine (pas rondes
comme en Europe).

Formalités

Les voyageurs français, belges et suis-
ses sont acceptés pour trois mois sans
visa. Ils doivent être en possession
d'un passeport encore valable six mois
après le retour, d'un billet de retour et
disposer d'une somme suffisante en
argent pour assurer leur séjour.

▶ **Conseil futé :** avant de partir, pensez à photocopier tous les documents que vous emportez avec vous. Vous emporterez un exemplaire de chaque et vous laisserez l'autre à quelqu'un en France. En cas de perte ou de vol, les démarches de renouvellement seront beaucoup plus simples auprès des autorités consulaires.

Langues parlées

Dans l'Ouest canadien, l'anglais est, à quelques exceptions près, la seule langue en usage. Le français est majoritaire au Québec (92 % de la population) et aussi très présent dans les Provinces maritimes. Une communauté importante de francophones vit au Manitoba. Bref, il y a de grandes et petites communautés francophones dispersées partout dans le pays. Un million de francophones vivent hors Québec. Partout au Canada, les administrations et les services provinciaux (parcs, aéroports, etc.) communiquent dans les deux langues.

Quand partir ?

▶ **L'été** est la saison touristique par excellence ; elle bat son plein en juin, juillet et août, l'occasion de pratiquer randonnée ou sports nautiques. Mais c'est aussi la saison des moustiques ou « maringouins »...

▶ **Le printemps (mars à mai)** est la période des parties de sucre qui fêtent la récolte du sirop d'érable. Il s'installe véritablement au mois de mai.

▶ **En automne,** le visiteur pourra jouir des magnifiques couleurs dans un pays où les érables sont abondants.

▶ **L'hiver** est la saison qui caractérise le mieux ce pays : c'est pour le sportif l'occasion d'aller skier dans les nombreuses stations de ski autour de Montréal et de Québec, de patiner sur les lacs gelés, de faire des randonnées en raquettes ou des balades en motoneige.

Santé

Il n'y a aucun risque à ce niveau en vous rendant au Canada.

Sécurité

L'indice de criminalité du Canada est considéré comme étant l'un des plus bas d'Amérique du Nord. Le métro est sûr, d'une façon générale, même le soir. La criminalité est nettement plus élevée à Vancouver, Toronto et Montréal que dans le reste du pays, mais le Canada demeure un pays sécuritaire, bien davantage que son cousin français et sans commune mesure avec le voisin américain !

Téléphone

▶ **Appeler à l'intérieur du Canada,** composez le code régional (3 chiffres) + numéro du correspondant (7 chiffres).

▶ **Appeler l'étranger du Canada :** composer le 011 + 33 pour la France, 32 pour la Belgique, 41 pour la Suisse.

Montréal											
Janvier	Février	Mars	Avril	Mai	Juin	Juillet	Août	Sept.	Octobre	Nov.	Déc.
-14°/-5°	-13°/-3°	-6°/2°	1°/11°	7°/19°	13°/23°	15°/26°	14°/25°	9°/20°	4°/13°	-1°/5°	-10°/-2°

Index

A / B

C

PENSE FUTÉ

PENSE FUTÉ

141

Q / R / S

PENSE FUTÉ

AUTEURS ET DIRECTEURS DES COLLECTIONS
Dominique AUZIAS & Jean-Paul LABOURDETTE

DIRECTEUR DES EDITIONS VOYAGE
Stéphan SZEREMETA

RESPONSABLES EDITORIAUX VOYAGE
Patrick MARINGE, Morgane VESLIN
et Caroline MICHELOT

RESPONSABLE CARNETS DE VOYAGE
Jean-Pierre GHEZ

EDITION ✆ 01 72 69 08 00
Maïssa BENMILOUD, Julien BERNARD, Audrey BOURSET,
Sophie CUCHEVAL, Chloé HARDY, Charlotte MONIER, Antoine
RICHARD, Baptiste THARREAU et Pierre-Yves SOUCHET

ENQUETE ET REDACTION
Joanna DUNIS, Valérie FORTIER, Jonathan CHODJAI,
Mickael GALVEZ, Claudio GREGOLIN, Les Editions
NEOPOL, Simone SIMONNET, Stéphane BLAIS, Jean-Luc
BREBANT, Thierry SOUFFLARD, Caroline de VILLOUTREYS,
Alexandra VIAU, Eléonore PILLIAT, Jean-François
GAYRARD, Sylvie FRANCK, Salwa SALEK, Delphine
STRUNSKI, Maeva VILAIN et Geneviève PEILLON

MAQUETTE & MONTAGE
Sophie LECHERTIER, Delphine PAGANO, Julie BORDES,
Élodie CLAVIER, Élodie CARY, Évelyne AMRI,
Antoine JACQUIN, Marie BOUGEOIS et Marie AZIDROU

CARTOGRAPHIE
Philippe PARAIRE, Thomas TISSIER

PHOTOTHEQUE ✆ 01 72 69 08 07
Élodie SCHUCK et Sandrine LUCAS

RELATIONS PRESSE ✆ 01 53 69 70 19
Jean-Mary MARCHAL

DIFFUSION ✆ 01 53 69 70 68
Éric MARTIN, Bénédicte MOULET
et Nathalie GONCALVES

DIRECTEUR ADMINISTRATIF ET FINANCIER
Gérard BRODIN

RESPONSABLE COMPTABILITE
Isabelle BAFOURD assistée de Christelle MANEBARD,
Oumy DIOUF et Janine DEMIRDJIAN

DIRECTRICE DES RESSOURCES HUMAINES
Dina BOURDEAU assistée de Sandra MORAIS,
Cindy ROGY et Aurélie GUIBON

■ **CARNET DE VOYAGE CANADA** ■
NOUVELLES ÉDITIONS DE L'UNIVERSITÉ©
Dominique Auzias et associés©
18, rue des Volontaires - 75015 Paris
Tél. : 33 1 53 69 70 00 - Fax : 33 1 53 69 70 62
Petit Futé, Petit Malin, Globe Trotter, Country Guides
et City Guides sont des marques déposées ™®©
© Photo de couverture : NELU_GOIA - FOTOLIA
ISBN : 9782746964396
Imprimé en France par
IMPRIMERIE CHIRAT - 42540 Saint-Just-la-Pendue
**Pour nous contacter par email, indiquez le nom de famille
en minuscule suivi de @petitfute.com
Pour le courrier des lecteurs : country@petitfute.com**

Achevé d'imprimer en 2012